流れがわかる！　すんなり頭に入る！

新版　英語対訳で読む世界の歴史

綿田浩崇 Hirotaka Watada 監修
Lee Stark 英文執筆

JIPPI Compact

実業之日本社

PREFACE

This book is for reading about world history in plain English and clear Japanese. As with our companion books, *The Japanese History with Simple English*, and *The Famous People in Japanese History with Simple English*, this is a historical English-bilingual book written with beginner level vocabulary and grammar.

Sentences in this book are numbered in both the Japanese and English to make comparing the two easier. If you have trouble understanding the English, find the same numbered sentence in Japanese.

Japanese translations have been added under many words and sayings. Please refer to the translations if you are having trouble understanding a sentence.

How events in world history are explained in English can be very interesting. For example, '*Kenri-no-shoten*' in English is the Bill of Rights, and '*Rekkyo*' is the Great Powers. This book contains many interesting facts you can share to show off your knowledge.

We also included events that occurred in the 21st century. How would such events as '*Riman shokku*,' '*Beicho shuno kaidan*,' '*Igirisu-no-EU ridatsu*,' and '*Hanmonten sengen*' be expressed in English? Please find out in the book.

As it has been translated into English by native English speakers, when you compare the Japanese and English, you may find that the translation is not always "word-for-word." The book is written in natural English, which can make it quite interesting to find different nuances.

However, this book is not a textbook. It is not meant to be a complete explanation of historical events. It is hoped this book can show how major events in world history would be explained by native speakers in plain English. We hope you enjoy learning about "natural English" and "basic world history."

Satoshi Mori

はじめに

本書は、世界史を平易な英語と明快な日本語で読むための本です。姉妹本『英語対訳で読む日本の歴史』、『英語対訳で読む日本史の有名人』と同じく歴史ものの英語対訳本で、初級レベルの単語と文法を使って書かれています。

本書では、英文と日本文の両方に番号をふってあります。これは、英文と日本文との対比をわかりやすくするためです。英文を読んでいてわからない箇所が出てきたら、同じ番号の日本文を読んでみてください。

また、英語の単語や語句の多くに下線を引いて日本語訳をつけています。わかりにくい英文を読むときは参考にしてください。

世界史で学んだ用語を英語で表わすとどうなるのだろう、と興味·関心をもって読んでいただくと、より楽しめるものになっていると思います。たとえば、「権利の章典」は「the Bill of Rights」、「列強」は「the Great Powers」などと、英語では表記されています。本書には、うんちくとして披露できそうなネタも散らばっていると思います。

21世紀に起きた出来事も盛り込みました。「リーマンショック」「米朝首脳会談」「イギリスのＥＵ離脱」「板門店宣言」などを英語で表わすとどうなるのでしょうか。ぜひ本書で学んでいただきたいと思います。

ネイティヴが英訳したため、英文と日本文を対比すると、必ずしも「直訳」にはなっていません。生きた英語が使われていますので、英語と日本語のニュアンスの違いも楽しんでもらえることでしょう。

ただし、本書は学術書ではありません。また、世界史の詳細な解説書でもありません。ネイティヴが通常使う平易な英語を使って、世界史の大きな流れを表現することを目的とした本です。「生きた英語」と「世界史の基本」をともに楽しみながら読んでいただけると幸いです。

森智史

装幀／杉本欣右
本文まんが／ムロタニ・ツネ象
ＤＴＰ／サッシイ・ファム＋千秋社
日本文執筆／マイプラン
英文執筆／ Lee Stark ＋ Andrew McAllister
編集／森智史＋マイプラン
編集協力／荻野守（オフィス ON）

Contents

目　次

Part 1 The History of the West 西洋史

Chapter 1 From the Ancient Civilizations to the Medieval Europe
古代文明～中世ヨーロッパ

From the Modern Europe to the Present Age
近世のヨーロッパ〜現代

Part 2 The History of the East 東洋史

Chapter 1 From the Indian and Chinese Civilizations to the *Ming* and *Qing* Dynasties
インドと中国の文明～明・清の時代

From the Asian Rule by the Great Powers to the Modern Asia
列強のアジア支配〜現在のアジア

Part 1

The History of the West

第1編

西洋史

Chapter 1

From the Ancient Civilizations to the Medieval Europe

第1章

古代文明～中世ヨーロッパ

年表 I

	About 5 million years ago 約500万年前	The first man “ape-man” is born in Africa. 最初の人類「猿人」がアフリカに誕生する → P.14
400万年前		
300万年前		
200万年前	About 1.8 million years ago 約180万年前	Primitive man, who uses fire and language, appears. 火と言語を使う「原人」が現れる → P.14
100万年前		
	About 200 thousand years ago 約20万年前	Early humans appear. 「旧人」が現れる → P.15
	About 40 thousand years ago 約４万年前	Cro-Magnon Man, direct ancestors of modern man, appears. 人類の直接の祖先にあたる「新人」が現れる → P.15
約1万年前	About 10 thousand years ago 約１万年前	The ice age ends. 氷河時代が終わる → P.16
紀元前 3000年	About 3000 BC 紀元前3000年ころ	A unified nation appears in Egypt. エジプトに統一国家が現れる → P.20
	About 3000 BC 紀元前3000年ころ	The Sumerian people establish city-states in the south of Mesopotamia. シュメール人がメソポタミア南部に都市国家をつくる → P.18
2000年		
	About 1900 BC 紀元前1900年ころ	The Semitic Amorite people establish the First Dynasty of Babylon. セム系アムル人がバビロン第１王朝をつくる → P.18

1000年		
800年	8th century BC 紀元前８世紀	Poleis (city-states) are established in Greece. ギリシアにポリス（都市国家）が誕生する → P.24
600年		
	5th century BC 紀元前５世紀	The Greco-Persian Wars break out. ペルシア戦争が起こる → P.22
400年	4th century BC 紀元前４世紀	Alexander the Great of Macedonia create a great empire. マケドニアのアレクサンドロス大王が大帝国をつくる → P.25
200年		
↑紀元前（BC）	27 BC 紀元前27	The Roman Empire is born. ローマ帝国が誕生する → P.29
↓紀元後（AD）		
200		
400	395	The Roman Empire is divided into two empires, the Eastern and the Western. ローマ帝国が東西に分裂する → P.39
	476	The Western Roman Empire is destroyed. 西ローマ帝国が滅びる → P.39
600		
	732	The Battle of Tours breaks out. トゥール・ポワティエ間の戦いが起こる → P.40
800		
1000		
	1096	The first Crusaders are sent. 第１回十字軍が派遣される → P.42
1200		
	1339	The Hundred Years War between England and France starts. （〜1453） イギリスとフランスの百年戦争が始まる（〜1453） → P.44
1400		
	1455	The War of the Roses breaks out. （〜1485） バラ戦争が起こる（〜1485） → P.46

1. The Appearance of Man (人類の出現)

Five million years ago, the first man "ape-man" was born in Africa.
約500万年前、最初の人類「猿人」がアフリカに誕生しました。

Stone tools were used.
彼らは打製石器を用いました。

Primitive man, who used fire and language, appeared about 1.8 million years ago.
約180万年前、火と言語を使う「原人」が現れました。

Primitive man lived through the ice age.
原人は氷河期を生き抜きました。

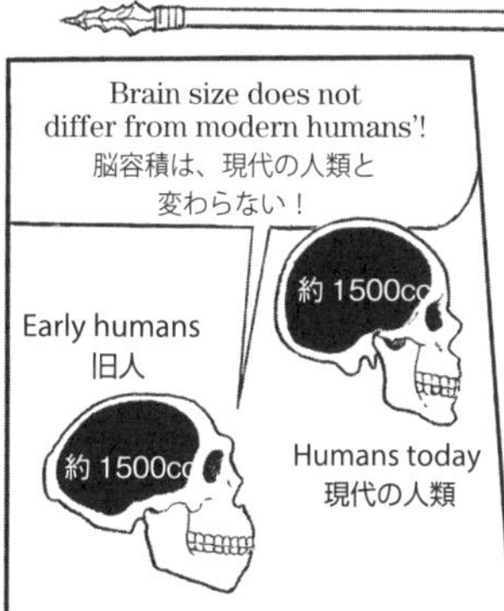

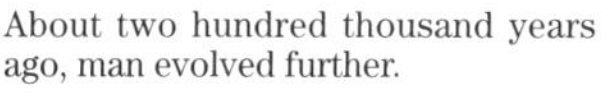

About two hundred thousand years ago, man evolved further.
約20万年前、より進化した旧人が現れました。

Direct ancestors of modern man appeared about forty thousand years ago.
約4万年前、人類の直接の祖先にあたる新人が現れました。

Bones tools were used to make cave drawings.
彼らは骨角器を用い、洞穴壁画を残しました。

The period of time man used stone tools, and lived in a hunter gatherer society is called the Old Stone Age.
打製石器を用いて狩猟採集生活を送っていた時代を旧石器時代といいます。

2. The Beginning of Agriculture

① About 10,000 years ago, as the ice age ended, the
(～した)とき 氷河時代
earth's climate grew warm. ② People began growing
地球の気候 ～になった 穀物を栽培すること
grains, and raising animals. ③ This transition from the
家畜を飼育すること 移行
hunter-gatherer economy to the production economy
狩猟・採集による獲得経済 生産経済
based on farming and animal raising can be called the
農耕と牧畜による
food production revolution.
食糧生産革命

④ As people began farming, and raising animals, they
農耕と牧畜
started to live in groups. ⑤ They started weaving and
織物(をすること)
アクスィズ
making pottery, as well as using stone axes, stone
土器 ～はもちろん 石斧 石臼
モーターズ
mortars and other polished stone tools. ⑥ This period is
磨製石器 時代
called the Neolithic Period. ⑦ Food production
新石器時代 食料生産の発達
developments allowed populations to grow, and states
～が増えるようになった 人口 国家が形成された
were formed.

⑧ Civilization was born in water-rich river basin areas.
文明 水が豊富な大河の流域
⑨ Advanced civilizations were formed in the Nile River
進んだ ナイル川流域
basin in Egypt, in Mesopotamia around the river basin
エジプト メソポタミア ユーフラテス川とティグリス川流域

of the Euphrates and Tigris Rivers in the Orient, in the
オリエント
Indus River basin in India, and in the Yellow, and
インダス川流域　インド　黄河と長江流域
Yangtze river basins in East Asia.
ヤンスィ　東アジア

2. 農耕の始まり

①今から約１万年前、**氷河時代**が終わり、地球上の気候は温暖になりました。②人類は穀物(こくもつ)を栽培したり、家畜を飼育(しいく)したりするようになりました。③狩猟・採集による**獲得経済**から農耕と牧畜(ぼくちく)による**生産経済**への移行を、食糧生産革命と呼ぶこともあります。

④農耕と牧畜が始まると、人類は集落に住むようになりました。⑤石斧(いしおの)、石臼(いしうす)などの**磨製(ませい)石器**を用い、織物(おりもの)や土器をつくるようになりました。⑥この時代を**新石器時代**といいます。⑦食料生産の発達により、人口が増え、国家が形成されました。

⑧水が豊富な大河(たいが)の流域では、文明が生まれました。⑨エジプトではナイル川流域に、オリエントではユーフラテス川とティグリス川流域の**メソポタミア**に、インドではインダス川流域に、そして東アジアでは黄河(こうが)と長江(ちょうこう)流域に、進んだ文明が形成されました。

3. Mesopotamia

①Around 3500 BC (before Christ), large scale irrigation
紀元前 3500 年ごろ　大規模なかんがい
helped agriculture develop. ② Around 3000 BC, the
農業が発達する手助けとなった
Sumerian people of an unknown ethnic group
シュメール人　民族系統不明の
established many city-states in the south of
～をつくった　たくさんの都市国家　メソポタミア南部
Mesopotamia. ③Metals such as copper and bronze were
金属　～のような　銅　青銅
used to make tools. ④ They developed a base-
道具　～を考案した　六十進法
sixty numeral system and used the lunar calendar.
太陰暦
⑤Cuneiform (キュニーフォーム) script was also developed.
楔形文字
⑥Huge temples and palaces were built in the city-
巨大な神殿や宮殿
states. ⑦However, frequent wars gradually weakened
しかし　たびたび起こる戦争　しだいに衰えさせた
the city-states. ⑧ Around 2350 BC, Mesopotamia was
ruled by the Semitic Akkadians. ⑨ Around 1900 BC, the
～に支配された　セム系アッカド人
Semitic Amorite people, established the First Dynasty
セム系アムル人　バビロン第 1 王朝
of Babylon, unifying Mesopotamia during the reign of
統一した　統治
King Hammurabi. ⑩The Code of Hammurabi, well-
ハンムラビ王　ハンムラビ法典
known for its phrase "An eye for an eye, and a tooth for
「目には目を、歯には歯を」

a tooth," was enacted by King Hammurabi to establish the rule of law.

～に制定された　法に基づく支配を確立しようとした

3. メソポタミア

①紀元前3500年ごろ、大規模なかんがいが行なわれ、農業が発達しました。②紀元前3000年ごろ、民族系統不明の**シュメール人**がメソポタミア南部に多くの**都市国家**をつくりました。③銅や青銅などの金属器がつくられました。④彼らは六十進法を考案し、太陰暦（たいいんれき）を使用しました。⑤また、楔形（くさびがた）**文字**を発明しました。

⑥都市国家には、巨大な神殿や宮殿が建てられました。⑦しかし、たびたび起こる戦争により、都市国家はしだいに衰（おとろ）えました。

⑧紀元前2350年ごろ、メソポタミアはセム系アッカド人に支配されました。⑨紀元前1900年ごろには、セム系アムル人が**バビロン第1王朝**を設立し、ハンムラビ王の時代にメソポタミアを統一しました。⑩「目には目を、歯には歯を」で知られる**ハンムラビ法典**を制定して、法に基（もと）づく支配を確立しようとしました。

4. Egypt

① Every year, the waters of the Nile River in Egypt
ナイル川　エジプト
would flood in August and September. ②This brought
（よく）増水した　これが～をもたらした
rich soil from upriver. ③ People used this rich soil to
肥えた土　上流
grow crops.
作物を育てるために

④Around 3000 BC, Upper and Lower Egypt was unified
紀元前 3000 年ごろ　上下エジプト　一つの国家へと統一された
into a single nation. ⑤ The Egyptian king was called a
エジプトの
Pharaoh, and ruled the tyrannical theocracy as a son of
ファラオ　専制的な神権政治を行なった　太陽神の子として
the sun god. ⑥Khufu and other Pharaohs had large
クフ王　～を建てさせる
pyramids and the sphinx built. ⑦ These stone structures
ピラミッドとスフィンクス　石造建築
were symbols of the great power and the authority of
強大な権力と権威を示すものだった
the Pharaohs.

⑧The Egyptians believed in many gods, and the sun god
エジプト人　多神教を信仰した　太陽神ラー
Ra was at the top. ⑨ They believed in rebirth after
頂点で　死後の復活
マミーズ
death, made mummies, and buried them with a Book of
ミイラ　～とともに埋葬した　死者の書
the Dead. ⑩ They developed astronomy and mathematics,
～を発達させた　天文学　数学
and created a solar calendar. ⑪Hieroglyphs or sacred
～をつくった　太陽暦　象形文字のヒエログリフ（神聖文字）

text were used.

4. エジプト

①毎年８～９月、エジプトのナイル川は増水しました。②これが、上流から肥(こ)えた土をもたらしました。③人々は、作物を育てるためにこの肥えた土を利用しました。
④紀元前3000年ごろ、上下エジプトを統一する国家が成立しました。⑤エジプトの王は**ファラオ**と呼ばれ、太陽神の子として専制的な神権政治を行ないました。⑥**クフ王**らは、巨大な**ピラミッド**や**スフィンクス**をつくらせました。⑦これらの石造建築は、王の強大な権力と権威を示しています。
⑧エジプトの宗教は多神教で、太陽神**ラー**が最高神です。⑨彼らは死後の復活を信じて、**ミイラ**をつくり、死者の書とともに埋葬(まいそう)しました。⑩彼らは天文学や数学を発達させ、**太陽暦**をつくりました。⑪象形(しょうけい)文字の**ヒエログリフ**（神聖文字）が用いられました。

5. Unification of the Ancient Orient

①The Orient is today's "the Middle East" including Egypt
オリエント　「中東」　エジプトとメソポタミアを含む
and Mesopotamia, meaning "the east" in Greek.
～を意味する「東」　ギリシア語

②The Assyrian kingdom was established in northern
アッシリア王国　おこった　メソポタミア北部
Mesopotamia, and used tanks and iron weapons to
戦車　鉄製の武器
expand their influence.
勢力を拡大するために

③ They conquered all the Orient in around the 7th
～を征服した　紀元前７世紀ごろ
century BC. ④However, people rebelled throughout the
しかし　各地で反乱が起こった
region against the strict rule by force, and the Assyrian
過酷な武断政治
Kingdom was destroyed by the allied forces of Media
～に滅ぼされた　連合軍　メディア
and Neo-Babylonia.
新バビロニア

⑤ In the 6th century BC, the Persian Achaemenid Empire
アケメネス朝ペルシア
was founded. ⑥ By the time of King Dareios I, the empire
おこった　～のころには　ダレイオス１世　帝国
stretched from the northern part of the Aegean Sea, to
イズィーアン
～から—まで広がった　エーゲ海北部
the Indus River.
インダス川

⑦The Achaemenid Empire was defeated by Greece in
～に敗れた　ギリシア
the Greco-Persian Wars of the 5th century BC. ⑧ In the
ペルシア戦争

4th century BC, the region was conquered by Alexander the Great of Macedonia.

～に征服された　アレクサンドロス大王　マケドニア

5. 古代オリエントの統一

①**オリエント**とは、ギリシア語で「東」を意味し、エジプト・メソポタミアを含む今日の「中東」を指(さ)します。

②**アッシリア王国**がメソポタミア北部におこり、戦車や鉄製の武器を用いて、勢力を拡大しました。

③紀元前7世紀ごろには、彼らは全オリエントを征服しました。

④しかし、過酷な武断政治を行なったために各地で反乱が起こり、アッシリア王国はメディアと新バビロニアの連合軍に滅ぼされました。

⑤紀元前6世紀に、**アケメネス朝**ペルシアがおこりました。

⑥**ダレイオス1世**が王のころには、エーゲ海北部からインダス川まで広がりました。

⑦アケメネス朝は、紀元前5世紀の**ペルシア戦争**でギリシアに敗(やぶ)れました。⑧紀元前4世紀には、マケドニアの**アレクサンドロス大王**によって征服されました。

6. Ancient Greek World

①Around the 8th century BC, many city-states called
紀元前８世紀ごろ　都市国家
poleis were established in Greece. ②Athens and Sparta
ポリス　ギリシア　アテネ　スパルタ
were particularly large poleis.
特に

③In the Persian Wars of the 5th century BC, Greek
ペルシア戦争　ギリシア軍
forces defeated the Persian Achaemenid Empire. ④The
～を破った　アケメネス朝ペルシア
Delian League was formed with Athens its leader, in
デロス同盟　結成された　アテネを盟主として
preparation for the return of Persia. ⑤In Athens a direct
～に備えて　ペルシアの再来　直接民主制
democracy form of government was realized under the
実現した　ペリクリスの指導のもと
leadership of Perikles. ⑥Ecclesia (citizen's assemblies)
イクリーズィア
民会
made up of adult male citizens were the highest
成人男子市民で構成される　国政の最高機関
governing body, and most public officials were chosen
公職
by lot. ⑦The Peloponnesian War broke out between
くじで　ペロポネソス戦争　起こった
Athens and Sparta. ⑧Athens was defeated by Sparta
～に敗れた
with the financial help of Persia.
ペルシアから資金援助を受けた

⑨In the 4th century BC, Macedonia of northern Greece
マケドニア　ギリシア北方
gained power, taking control of all poleis other than
勢力を強めた　～を支配した　スパルタ以外の

Sparta. ⑩Alexander the Great of Macedonia defeated
マケドニアのアレクサンドロス大王
Persia, creating a great empire.
ペルシア　大帝国をつくった

6. 古代ギリシア世界

①紀元前８世紀ごろ、ギリシアに**ポリス**と呼ばれる都市国家が多数誕生しました。②**アテネ**と**スパルタ**は特に大規模なポリスでした。
③紀元前５世紀の**ペルシア戦争**で、ギリシア軍は**アケメネス朝ペルシア**を破りました。④ペルシアの再来に備(そな)え、アテネが盟主となり**デロス同盟**が結成されました。⑤アテネでは、ペリクリスの指導のもと、**直接民主制**が実現しました。⑥成年男子市民が構成する**民会**が、国政の最高機関であり、ほとんどの公職はくじで選ばれました。⑦アテネとスパルタの間で、**ペロポネソス戦争**が起こりました。⑧アテネは、ペルシアから資金援助を受けたスパルタに敗れました。
⑨紀元前４世紀、ギリシア北方の**マケドニア**が勢力を強め、スパルタ以外の全ポリスを支配しました。⑩マケドニアの**アレクサンドロス大王**は、ペルシアを破って大帝国をつくりました。

7. The Hellenistic World

①Alexander the Great of Macedonia, in an attack on
アレクサンドロス大王　マケドニア　ペルシアを攻撃するため
Persia, led the allied Macedonian and Greek forces on
～を率いた　マケドニアとギリシアの連合軍
their conquest east in 334 BC. ②He conquered Egypt,
東方遠征に出た　紀元前334年　～を征服した　エジプト
and defeated the Persian forces in the Battle of
～を破った　ペルシア軍　ガウガメラの戦い
Gaugamela. ③His forces continued to northwest India,
～に軍を進めた　インド西北部
creating a great empire stretching from Greece and
～をつくった　～から―まで広がる大帝国　ギリシア
Egypt to the Indus River basin.
インダス川流域

④There was a struggle for power after the sudden death
権力争い　～の急死
of Alexander the Great. ⑤The empire was divided into
帝国　～に分裂した
Macedonia, led by *Antigonus*, Syria led by *Seleucus*,
アンティゴノス朝マケドニア　セレウコス朝シリア
and Egypt led by *Ptolemaios*. ⑥The Egyptian empire
プトレマイオス朝エジプト　プトレマイオス朝エジプト
established by *Ptolemaios* continued until the year 30
紀元前30年まで
BC, when Queen *Cleopatra* killed herself. ⑦The nearly
女王クレオパトラが自殺した　～から300年近く
300 years from the first conquest east by Alexander the
東方遠征
Great, to the fall of the Egyptian empire is called the
滅亡
Hellenistic period.
ヘレニズム時代

⑧The Hellenistic era created a new culture, that was a mixture of Greek and Oriental culture. ⑨Alexandria in Egypt, grew as a center of economy and culture.

ヘレニズム時代／〜を生み出した／交じり合ったもの／ギリシアとオリエントの文化／アレクサンドリア／〜の中心として栄えた／経済

7. ヘレニズム世界

①マケドニアの**アレクサンドロス大王**は、ペルシアを攻撃するため、マケドニアとギリシアの連合軍を率(ひき)いて、紀元前334年に**東方遠征**に出発しました。②彼はエジプトを征服し、ペルシア軍をガウガメラの戦いで破りました。③彼はインド西北部まで軍を進め、ギリシア、エジプトからインダス川流域にまで広がる大帝国をつくりました。

④アレクサンドロス大王の急死のあと、権力争いが起こりました。⑤帝国は、**アンティゴノス朝**マケドニア、**セレウコス朝**シリア、**プトレマイオス朝**エジプトなどに分裂しました。⑥プトレマイオス朝エジプトは、女王クレオパトラが自殺する紀元前30年まで存続しました。⑦アレクサンドロス大王の東方遠征から、エジプト王朝の滅亡までの約300年間を、**ヘレニズム時代**といいます。

⑧ヘレニズム時代には、ギリシアとオリエントの文化が交(ま)じり合った新しい文化が生まれました。⑨エジプトの**アレクサンドリア**は、経済と文化の中心として栄えました。

8. The Roman Empire

①Rome was a city-state founded by the Latins by the
ローマ　都市国家　ラテン人がたてた　ティベル河畔に
Tiber river. ②They established a republic centered on
～を確立した　元老院を中心とする共和政
the Senate, which was made up of aristocrats as its
貴族
lifetime members, unifying the Italian Peninsula. ③They
終身議員　イタリア半島を統一した
defeated Carthage of North Africa in the Punic Wars
ピューニック
～を破った　カルタゴ　北アフリカ　ポエニ戦争
and took the control of Macedonia and Greece, meaning
～を支配した　マケドニア　ギリシア　～(ということ)を意味する
almost all of the Mediterranean region was conquered.
地中海をほぼ制覇した
④With the expansion of Roman power, a civil war went
ローマの拡大にともなって　内乱が続いた
on in Rome. ⑤*Pompeius*, *Caesar*, and *Crassus* signed a
ポンペイウス　カエサル　クラッスス　密約を結んだ
secret agreement against the Senate, coming to power.
元老院に対抗して　政権を握った
⑥ *Caesar* took control of Gaul (now France) and
ゴール
～を支配した　ガリア(現在のフランス)
defeated *Pompeius*. ⑦However, he was killed by the
～に暗殺された
group of senators including *Brutus* because *Caesar* had
ブルートゥスら
become a virtual dictator. ⑧*Anthonius* and *Lepidus*,
事実上独裁者となった　アントニウス　レピドゥス
who had worked for *Caesar*, together with *Caesar's*
～の部下であった　～とともに
adopted son *Octavianus*, took control. ⑨*Octavianus*
養子　オクタヴィアヌス　政権を握った

took full control by defeating *Anthonius* in the Battle
権力の頂点に立った　アクティウムの海戦
of Actium.

⑩ In the year 27 BC, *Octavianus* broke down the civil
紀元前27年　〜をおさめた
war and was given the honorific title Augustus. ⑪ The
〜を与えられた　アウグストゥス（尊厳者）の称号
Roman Empire was born, with Octavianus as its virtual
ローマ帝国　オクタヴィアヌスは事実上皇帝となり
emperor.

8. ローマ帝国

①ローマは、ラテン人がティベル河畔にたてた都市国家でした。
②貴族が終身議員となる元老院を中心とする共和政を確立し、ローマはイタリア半島を統一しました。③北アフリカの**カルタゴ**を**ポエニ戦争**で破り、マケドニアやギリシアを支配し、地中海をほぼ制覇（せいは）しました。
④ローマの拡大にともなって、ローマでは内乱が続きました。
⑤**ポンペイウス**と**カエサル**と**クラッスス**は元老院に対抗して密約を結び、政権を握りました。⑥カエサルは、ガリア（現在のフランス）を征服し、ポンペイウスを倒しました。⑦しかし、事実上独裁者となったカエサルをきらうブルートゥスらに暗殺されました。⑧カエサルの部下であった**アントニウス**と**レピドゥス**は、カエサルの養子の**オクタヴィアヌス**とともに、政権を握りました。⑨オクタヴィアヌスはアントニウスを**アクティウムの海戦**で破り、権力の頂点に立ちました。
⑩紀元前27年、内乱をおさめたオクタヴィアヌスはアウグストゥス（尊厳者（そんげんしゃ））の称号を与えられました。⑪オクタヴィアヌスは事実上皇帝となり、**ローマ帝国**が生まれました。

9. Roman Culture and Christianity

①Roman construction and engineering technologies
ローマの建築と土木の技術
were very advanced. ②The stone buildings using the
とても進んでいた　石造建築
arch structure were excellent, and baths, sporting
アーチ構造　すぐれている　浴場　闘技場
arenas, roads, and aqueducts were constructed. ③Parts
水道橋　建設された
of some are still standing, including the Colosseum
今でも残っているものもある　～など　コロッセウム(円形競技場)
(amphitheater), and the Appian Way. ④The Latin
アッピア街道
characters and language used by the Romans are still
ローマ字とラテン語　ローマ人
widely used today. ⑤The Gregorian calendar used
グレゴリウス歴
today is based on the Julian calendar established by
ユリウス歴　～に制定された
Julius Caesar.
ユリウス・カエサル

ジーザス
⑥Palestine was under the control of Rome. ⑦Jesus,
パレスチナ　～の支配下にあった　ローマ　イエス
who was born in Nazareth, taught the love of God,
ナザレ　神の愛を説いた
ジューイッシュ
criticizing the rigidity of the Jewish legalists. ⑧Some
～を批判して　かたくなさ　ユダヤ教律法主義者
People believed Jesus was the Messiah (Christ) and
救世主(キリスト)
followed his teachings. ⑨Jesus was seen as a rebel
～に従った　教え　ローマに対する反逆者とされた
against Rome, and was executed. ⑩After that, Jesus
処刑された

was reborn and appeared to his disciples, and
復活した　弟子
Christianity was founded, which regards Jesus as the
キリスト教が成立した　イエスを神の子とする
Son of God, teaching that, “Jesus died on the cross, in
十字架にかかって
order to save man from his sins.”
人をその罪から救うために

9. ローマ文化とキリスト教

①ローマの建築と土木の技術はとても進んでいました。②アーチ構造を用いた石造建築はすぐれており、浴場・闘技場・道路・水道橋などが建設されました。③**コロッセウム**（円形競技場）やアッピア街道など、今でも残っている遺跡もあります。④ローマ人に使われていた**ローマ字**や**ラテン語**は、今日も広く用いられています。⑤今日使われている**グレゴリウス暦**は、**ユリウス＝カエサル**に制定された**ユリウス暦**からつくられました。

⑥**パレスティナ**は、ローマの支配下にありました。⑦ナザレに生まれた**イエス**はユダヤ教律法主義者のかたくなさを批判し、神の愛を説きました。⑧人々は、イエスが救世主（**キリスト**）だと信じて、彼の教えに従いました。⑨イエスはローマに対する反逆者とされ、処刑されました。⑩その後、復活したイエスに遭遇した弟子たちは、「イエスの十字架での死は、人間をその罪から救うための行為であった」と説いて、イエスを神の子と信仰する**キリスト教**が成立しました。

9. Roman Culture and Christianity (ローマ文化とキリスト教)

In about 4 BC, Jesus was born in Bethlehem of Judea.
紀元前4年ごろ、ユダヤのベツレヘムでイエスが誕生しました。

Jesus was baptized by Johannes and started the missionary work.
ヨハネから洗礼を受け、宣教を開始しました。

Jesus taught the love of God in many regions.
イエスは各地で神の愛を説きました。

The teachings of Jesus spread among the poor.
イエスの教えは貧しい生活を送っていた人たちに広まりました。

The teachings of Jesus criticized Judaism.
イエスの教えはユダヤ教を批判する内容でした。

Roman leaders arrested Jesus for being a rebel against the empire.
支配者たちはイエスをローマに対する反逆者として捕らえました。

Jesus was hung on the cross and killed.
イエスは十字架にかけられ処刑されました。

Jesus resurrected and Christianity was formed.
イエスが復活し、キリスト教が生まれました。

10. Development and Divisions of the Islamic Empire

①Muhammad from Mecca believed he was the true
ムハンマド メッカ 真の予言者
prophet of God Allah, and began to spread the religion
唯一神アッラー 布教を開始した イスラム教
of Islam. ② Muhammad conquered Mecca, unifying the
〜を征服した アラビア半島を統一した
Arabian Peninsula. ③After the death of Muhammad,
ムハンマドの死後
Muslims elected a Caliph, their leader and successor of
イスラム教徒 カリフ 指導者 後継者
Muhammad. ④Under the leadership of the Caliph,
〜の指導のもと
Arabs began the struggles for spreading Islam, called
アラブ人 布教のための戦い
holy wars (or Jihad), increasing their area of control.
聖戦（ジハード） 支配する地域を増やした
⑤Amid conflicts over the role of Caliph, the fourth
対立のなか カリフ位をめぐる
Caliph *Ali* was assassinated, and *Muawiya*, the
アリー 暗殺された シリア総督ムアーウィヤ
governor of Syria, established the Umayyad Caliphate
ウマイヤ朝（←カリフの統治）
(Dynasty). ⑥ After that, two groups were formed; Shiah,
シーア派
the group claiming *Ali's* sons to be the true Caliph, and
主張する アリーの子孫 正統なカリフ
the majority group Sunni.
多数派 スンナ派
⑦People unhappy with the Umayyad Caliphate,
〜（の支配）を不満に思う人々
established the Abbasid Caliphate. ⑧The Umayyad
〜を開いた アッバース朝 ウマイヤ朝の一族

family ran away to the Iberian Peninsula, and established
〜にのがれた　イベリア半島
the Caliphate of Cordoba. ⑨The Fatimid Caliphate of
後ウマイヤ朝　シーア派のファーティマ朝
Shiah arose from North Africa. ⑩The Islamic world was
〜から現れた　北アフリカ　イスラム世界
divided with three separate Caliphs.
分裂状態になった　三人のカリフが存在する

10. イスラム帝国の発展と分裂

①メッカ出身のムハンマドは、自分を唯一神アッラーの真の預言者であると自覚し、**イスラム教**の布教を開始しました。②ムハンマドはメッカを征服し、アラビア半島を統一しました。
③ムハンマドの死後、イスラム教徒は、指導者でムハンマドの後継者となる**カリフ**を選びました。④カリフの指導のもと、アラブ人は聖戦（ジハード）と呼ばれる布教のための戦いを展開し、支配する地域を増やしました。
⑤カリフ位をめぐる権力争いが起こるなか、４代目カリフのアリーが暗殺され、シリア総督ムアーウィヤが**ウマイヤ朝**を開きました。⑥その後、アリーの子孫を正統なカリフと主張するシーア派と、多数派のスンナ派が成立しました。
⑦ウマイヤ朝の支配を不満に思う人々が、**アッバース朝**を開きました。⑧ウマイヤ朝の一族はイベリア半島にのがれ、**後ウマイヤ朝**をたてました。⑨北アフリカから、シーア派の**ファーティマ朝**が現れました。⑩イスラム世界は、三人のカリフが存在する分裂状態となりました。

11. Islamic Civilization

①Islamic civilization is a culture that is a combination
イスラム文明　～と一が結びついたもの
of Greek, Persian and Indian cultural heritage, mixed
ギリシア・ペルシア・インドの文化遺産
with Arabic and Islam from the Arabic people.
アラビア語とイスラム教　アラブ人がもたらした
②Early Muslims studied the Arabic language and
初期のイスラム教徒　アラビアの言語
theology and law based on an interpretation of the
～にもとづく神学・法学　コーランの解釈
Koran. ③ Later, developments of science mainly in
学問の発達
medicine, astronomy, and mathematics were made as
医学　天文学　数学
knowledge was brought from Greece and India. ④Arabic
学問を取り入れるようになると　ギリシアやインド　アラビア数字
numerals, the base ten number system, and the concept
十進法　ゼロの概念
of zero especially helped science develop greatly.
とくに　学問はより発達した
⑤Islamic literature brought us the famous story "One
イスラムの文学
Thousand and One Nights" ("Arabian Nights").
「千夜一夜物語」(「アラビアンナイト」)
⑥In arts and crafts, miniature paintings, foliage scrolls,
工芸美術　細密画(ミニアチュール)　唐草文
and arabesque, styled after Arabic writing, were
アラベスク　アラビア文字をもとにつくられた
developed. ⑦An Islamic Mosque has a wall with the
イスラム教のモスク(礼拝堂)
niche (ニッチ) indicating the direction of Mecca.
くぼみ　～を示す　メッカの方向

11. イスラム文明

①**イスラム文明**は、ギリシア・ペルシア・インドの文化遺産と、アラブ人がもたらしたアラビア語やイスラム教が結びついた文化です。

②初期のイスラム教徒は、アラビア語の言語と、**コーラン**の解釈にもとづく神学・法学を勉強しました。③のちに、ギリシアやインドの学問を取り入れるようになると、医学・天文学・数学を中心に学問が発達しました。④とくに、アラビア数字・十進法・ゼロの概念を取り入れることで、学問はより発達しました。

⑤イスラムの文学では、『**千夜一夜物語**』（「アラビアンナイト」）が有名です。⑥工芸美術では、**細密画**（ミニアチュール）や唐草文（からくさもん）、アラビア文字をもとにつくられた**アラベスク**（唐草模様）が発達しました。⑦イスラム教の**モスク**（礼拝堂）には、メッカの方向を示す壁のへこみがあります。

12. German Great Migration

①The German people originally lived on the Baltic sea
ゲルマン人　もともと　バルト海沿岸
coast. ②Engaged in extensive farming, they gradually
粗放な農業を行なっていたが　しだいに南下した
moved towards the south pressing the Celts, and spread
ケルト人を圧した　～に広がった
throughout the region, from the Rhine to the Black Sea
地域　ライン川　黒海
coast. ③In the late fourth century, Asian Huns invaded
4世紀後半に　アジア系のフン人　侵入した
from the east. ④They conquered most of the German
～を征服した　ゲルマン系の東ゴート人
Ostrogoths, and pressed the Visigoths. ⑤The Visigoths,
～を圧迫した　西ゴート人
and other German people, began their great migration.
大移動を開始した
⑥The Visigoths established the Visigothic Kingdom in
～を建国した　西ゴート王国
southwestern Gaul and the Iberian Peninsula. ⑦The
南西の　ガリア　イベリア半島
Vandal people established the Vandal Kingdom in North
ヴァンダル人　ヴァンダル王国　北アフリカ
Africa. ⑧The Burgundian people established the
ブルグンド人
Burgundy Kingdom in southeastern Gaul. ⑨The Franks
ブルグンド王国　南東の　フランク人
established the Frank Kingdom in Northern Gaul. ⑩The
フランク王国　北の
Anglo-Saxons migrated to the island of Great Britain,
アングロ・サクソン人　～に移住した　大ブリテン島
ヘプターキー
and established the Anglo-Saxon Heptarchy. ⑪During
アングロ＝サクソン七王国

this confusion the Roman Empire was divided into two
混乱　ローマ帝国　東西に分裂した
empires, the Eastern and the Western, and in 476 the
Western Roman Empire was destroyed by Odoacer the
西ローマ帝国　〜によって滅ぼされた
German commander of the hired soldiers.
ゲルマン人傭兵(←雇われ兵士)隊長オドアケル

12. ゲルマン人の大移動

①**ゲルマン人**はもともとバルト海沿岸に住んでいました。②粗放な農業を行なっていたゲルマン人は、しだいに南下してケルト人を圧し、ライン川から黒海沿岸にいたる地域に広がっていました。③4世紀後半、アジア系の**フン人**が東方から侵入してきました。④フン人はゲルマン系の**東ゴート人**のほとんどを征服し、**西ゴート人**を圧迫しました。⑤西ゴート人や他のゲルマン系の人々は、大移動を開始しました。⑥西ゴート人は、ガリア南西部とイベリア半島に**西ゴート王国**を建国しました。⑦ヴァンダル人は、北アフリカに**ヴァンダル王国**を建国しました。⑧ブルグンド人は、ガリア南東部に**ブルグンド王国**を建国しました。⑨フランク人は、ガリア北部に**フランク王国**を建国しました。⑩アングロ＝サクソン人は大ブリテン島に移住し、**アングロ＝サクソン七王国**を建国しました。⑪この混乱のなか、ローマ帝国は東西に分裂し、西ローマ帝国は476年、ゲルマン人傭兵(ようへい)隊長オドアケルによって滅ぼされました。

13. Division of the Frank Empire

①During the German great migration, the Frank Empire
ゲルマン人が大移動するなかで　フランク王国
was steadily increasing its area of control. ②In 732,
着実に　増やしていく　領土
when Islamic forces attacked, they were driven back
イスラム軍　攻撃した　～によって撃退された
by Karl Martell. ③Karl Martell's son Pippin established
カール＝マルテル　ピピン　～を開いた
the Carolingian Dynasty. ④During the reign of Pippin's
カロリング朝　統治
シャーラメイン
son Charlemagne, major regions of Western Europe
カール大帝　西ヨーロッパの主要な地域
were united.
統一した

⑤Infighting occurred after the death of Charlemagne.
内紛が起こった　カール大帝の死後
⑥The Frank Empire was divided into East Frank
フランク王国　～に分裂した　東フランク（ドイツ）
ポウプ
(German), West Frank (France), and Italy. ⑦The Pope
西フランク（フランス）　イタリア　ローマ教皇
crowned the East Frank, Otto I, emperor. ⑧After that,
東フランクのオットー１世に皇帝の位を与えた
Germany was called the Holy Roman Empire. ⑨Hugh
神聖ローマ帝国　ユーグ＝カペー
Capet established the Capetian Dynasty in West Frank.
カペー朝
⑩However, the Capetian king's control was weak and
しかし　カペー朝の王権
フュードル
there were a lot of feudal lords. ⑪In Italy, the authority
諸侯　君主権
of the king didn't grow, due to the existence of the Pope,
～のため　教皇の存在

the intervention of the Holy Roman Empire, and the
〜の介入
invasion of the Islamic influence.
イスラム勢力の侵入

13. フランク王国の分裂

①ゲルマン人が大移動するなかで、**フランク王国**は着実に領土を広げていました。②732年、イスラム軍が王国を攻撃したときは、**カール＝マルテル**が撃退しました。③カール＝マルテルの子**ピピン**は**カロリング朝**を開きました。④ピピンの子**カール大帝**の時代には、西ヨーロッパの主要な地域を統一しました。⑤カール大帝の死後、内紛が起こりました。⑥フランク王国は、**東フランク**（ドイツ）、**西フランク**（フランス）、**イタリア**に分裂しました。⑦ローマ教皇は、東フランクの**オットー1世**に皇帝の位（くらい）を与えました。⑧この後、ドイツは**神聖ローマ帝国**と呼ばれるようになります。⑨**西フランク**では、**ユーグ＝カペー**が、カペー朝を開きました。⑩しかし、カペー朝の王権は弱く、諸侯が多数分立していました。⑪**イタリア**は、教皇が存在し、また神聖ローマ帝国の介入や、イスラム勢力の侵入を受け、君主権が成長しませんでした。

14. The Crusades

①From the 11th century to the 13th century, Christians
11 世紀から 13 世紀にかけて　キリスト教徒
of Western Europe traveled to Eastern Europe, and the
西ヨーロッパ　～に遠征した　東ヨーロッパ
Middle East. ②Because of the cross-shaped coat of arms
中東　～のために　十字架の形をした紋章
they wore on their chest and shoulders, they were called
彼らが胸や肩につけていた
crusaders. ③Their expedition was started responding
十字軍（軍団）　遠征　～の呼びかけで
to the call of the Pope *Urbanus* II. ④The original goal
教皇ウルバヌス 2 世　当初の目的
was to regain the Holy City of Jerusalem from the
～を取り戻すこと　聖地イェルサレム（ヂェルーサレム）
Turkish Seljuks.
セルジューク朝

⑤The first of the Crusades began in 1096. ⑥There were
十字軍（軍行）
seven Crusades in all. ⑦The purpose of each Crusade
目的
was different, and the Holy City was never taken back.
聖地　奪回することはできなかった
⑧The failures of the Crusades weakened the authority
失敗　権威を落とした
of the Pope, and the burden of those campaigns caused
教皇　負担　出征　～が―する理由となった
some feudal lords and knights to lose their power.
諸侯　騎士　没落した
⑨Instead, the power of the kings increased.
かわって　国王の権力は強まった
⑩The crusades opened travel routes to the East,
東方への移動ルートを切り開いた

leading to the development of trade and business.
～をもたらした　商業の発展

⑪Islamic culture was also passed on to Western Europe.
イスラム文化が～にもたらされもした

14. 十字軍

①11世紀から13世紀にかけて、西ヨーロッパのキリスト教徒が、東ヨーロッパや中東に遠征しました。②彼らは、十字架の紋章を胸や肩につけていたため、**十字軍**と呼ばれました。③十字軍の遠征は、教皇ウルバヌス2世の呼びかけで始まりました。
④当初の目的は、セルジューク朝から聖地**イェルサレム**を取り戻すことでした。
⑤第1回十字軍は1096年に始まりました。⑥遠征は七回に及びました。⑦十字軍の目的が回を重ねるごとに変わったこともあり、聖地を奪回することはできませんでした。
⑧十字軍の失敗により、教皇は権威を落とし、出征が負担となり、没落する諸侯や騎士があらわれました。⑨かわって、国王の権力は強まりました。
⑩十字軍は、東方への移動ルートを切り開き、商業の発展をもたらしました。⑪イスラム文化が、西ヨーロッパにもたらされることにもなりました。

15. The Hundred Years War and the War of the Roses (百年戦争とバラ戦争)

France and England disagreed about how to deal with the Flanders region.
フランドル地方をめぐり、フランスとイギリスが対立しました。

This was the start of the Hundred Years War.
フランスとイギリスとの間で百年戦争が始まりました。

Many people in France got the Black Death (plague).
フランスでは黒死病（ペスト）が流行しました。

There were also revolts by farmers in France.
さらにフランスでは、農民の反乱が起こりました。

During the time of Charles VII, France was on the brink of destruction.
シャルル７世のころには、フランスは滅亡寸前まで追い込まれました。

Joan of Arc, the daughter of a farmer, led the French army.
農民の娘ジャンヌ＝ダルクが現れ、フランス軍を率いました。

The French forces fought back under the leadership of Joan of Arc.
ジャンヌ＝ダルク率いるフランス軍は勢力を盛り返しました。

The Hundred Years War ended in victory for France.
百年戦争はフランスの勝利に終わりました。

The house of Lancaster, and house of York were fighting in England.
イギリスでは、ランカスター家とヨーク家の内乱が起こりました。

The Lancaster house symbol was a red rose, and the York symbol a white rose.
ランカスター家は赤バラ、ヨーク家は白バラを紋章としていました。

Because of this, the war is called the War of the Roses.
そのため、この内乱はバラ戦争と呼ばれました。

The pro-Lancaster Henry VII ended fighting, establishing the Tudor dynasty.
ランカスター派のヘンリ7世が内乱をおさめ、テューダー朝を開きました。

Part 1

The History of the West

第 1 編

西洋史

Chapter 2

From the Modern Europe to the Present Age

第 2 章

近世のヨーロッパ～現代

年表 Ⅱ

	1492	Columbus arrives at San Salvador Island. コロンブスがサン＝サルバドル島に到達する →	P.52
1500	1498	*Vasco da Gama* makes it to India, by way of the Cape of Good Hope. ヴァスコ＝ダ＝ガマが喜望峰を経由してインドへ到達する →	P.52
	1517	Martin Luther publishes The Ninety-Five Theses. マルティン＝ルターが九十五カ条の論題を発表する →	P.54
1600			
	1649	Charles I is put to death and a republic is established in England. イギリスでチャールズ１世が処刑され、共和政が成立する →	P.60
	1688	The Glorious Revolution occurs in England. イギリスで名誉革命が起こる →	P.62
1700	1689	The Bill of rights is enacted in England. イギリスで権利の章典が制定される →	P.62
	1773	The Boston Tea Party occurs in America. アメリカでボストン茶会事件が起こる →	P.68
	1775	The American War of Independence breaks out. アメリカ独立戦争が起こる →	P.68
	1776	The United States Declaration of Independence is announced. アメリカ独立宣言が出される →	P.68
	1789	The French Revolution begins. フランス革命が起こる →	P.70
1800			
	1804	Napoleon becomes emperor in France. フランスでナポレオンが皇帝に即位する →	P.74
	1853	The Crimean War breaks out. (～1856) クリミア戦争が起こる（～1856） →	P.88
	1861	The Civil War breaks out in the United States. (～1865) アメリカ南北戦争が起こる（～1865） →	P.92
	1861	The Emancipation Reform is issued in Russia. ロシアで農奴解放令が出される →	P.89
	1861	The Kingdom of Italy is established. イタリア王国が成立する →	P.86
	1871	The German Empire is established. ドイツ帝国が成立する →	P.87
1900			
	1914	An assassination incident in Sarajevo triggers the First World War. (～1918) サライェヴォ事件をきっかけに第一次世界大戦が勃発する（～1918） →	P.96

	1919	The Paris Peace Conference is held. パリ講和会議が開かれる	P.100
	1920	The League of Nations is established. 国際連盟が成立する	P.100
	1922	The Union of Soviet Socialist Republics is formed. ソヴィエト社会主義共和国連邦が成立する	P.99
	1929	The collapse of the stock prices at the New York Stock Exchange leads to the Great Depression. ニューヨーク市場の株価が暴落し、世界恐慌が始まる	P.104
	1939	German invasion of Poland triggers the Second World War.　(〜1945) ドイツのポーランド侵攻をきっかけに第二次世界大戦が勃発する(〜1945)	P.108
	1941	The War in the Pacific breaks out.　(〜1945) 太平洋戦争が起こる(〜1945)	P.108
	1945	The United Nations is established. 国際連合が成立する	P.110
	1955	The Asian-African Conference is held. アジア・アフリカ会議が開かれる	P.114
	1962	The Cuban Missile Crisis occurs. キューバ危機が起こる	P.116
	1965	The Vietnam War becomes more serious. ベトナム戦争が激化する	P.118
	1973	The fourth war in the Arab-Israeli conflict breaks out. 第四次中東戦争が起こる	P.122
	1989	The Berlin Wall is torn down. ベルリンの壁が崩壊する	P.125
	1990	East and West Germany are unified. 東西ドイツが統一される	P.125
	1991	The Gulf War break out. 湾岸戦争が勃発する	P.126
	1991	The Soviet Union is dissolved and the Commonwealth of Independent States is formed. ソ連が消滅し、独立国家共同体が結成される	P.124
2000			
	2001	Terrorists attacks the United States. アメリカ同時多発テロが起こる	P.138
	2003	The United States and Britain bomb Iraq. アメリカ・イギリスがイラクを空爆する	P.139
	2008	Lehman Shock occurs. リーマンショックが起こる	P.128
	2011	The Jasmine Revolution breaks out in Tunisia. チュニジアでジャスミン革命が起こる	P.130
	2018	The US-North Korea Summit is held in Singapore. 米朝首脳会談がシンガポールで開催される	P.132
	2020	Britain exits the European Union. イギリスがEUを離脱する	P.134

16. The Renaissance

①From the 14th to the 16th century a new cultural
14 世紀から 16 世紀にかけて　～中に広まった文化運動
movement spread throughout Europe is called the
ヨーロッパ
Renaissance. ② Renaissance means "rebirth" in French.
ルネサンス　～を意味する「再生」　フランス語
③ They tried to drop the traditional God-centered
神中心の伝統的思考を離れる
thinking and recognize the real world rationally. ④ People
合理的に現実世界を把握する
studied classic Greek and Roman culture to pursue the
～を研究した 古典の　ギリシアやローマの　～を追求した
human way of living.
人間らしい生き方
⑤ In literature, for example, *Dante* from Florence wrote
文学　たとえば　ダンテ　フィレンツェ
ディヴァイン
'Divine Comedy' in the 14th century and Shakespeare
『神曲』　シェークスピア
wrote 'Hamlet' in England in the 16th century.
『ハムレット』
⑥As for art, *Leonardo da Vinci* is well-known for the
美術では　レオナルド＝ダ＝ヴィンチ
'*Mona Lisa*' and 'The Last Supper,' *Michelangelo* for
『モナ＝リザ』　『最後の晩餐』　ミケランジェロ
'The Statue of David,' and *Raphael* for the images of
『ダヴィデ像』　ラファエロ　聖母子像
the Madonna and Child.

⑦In the field of science, *Copernicus* of Poland developed
科学では　コペルニクス　ポーランド
his heliocentric model in the 16th century.
地動説　16 世紀

⑧Originally from China and introduced to Europe by way of the Islamic world, the "compass" "explosives" and "typography" were improved at that time and had a great influence on the society.

中国起源で／伝わった／イスラム世界を経由して／「羅針盤」／「火薬」／「活版印刷」／改良された／社会に大きな影響を与えた

16. ルネサンス

①14世紀から16世紀にかけてヨーロッパ中に広まった新しい文化運動を、ルネサンスといいます。②ルネサンスとは、フランス語で「再生」という意味です。③神中心の伝統的思考を離れ、合理的に現実世界を把握しようとしました。④人々はギリシアやローマの古典文化を研究し、人間らしい生き方を追求しました。

⑤文学では、たとえば、14世紀にフィレンツェ出身のダンテが『神曲（しんきょく）』を、16世紀のイギリスでは、シェークスピアが『ハムレット』などを書きました。

⑥美術では、『モナ＝リザ』や『最後の晩餐（ばんさん）』のレオナルド＝ダ＝ヴィンチ、『ダヴィデ像』のミケランジェロ、聖母子（せいぼし）像のラファエロらが有名です。

⑦科学では、16世紀にポーランドのコペルニクスが「地動説」を唱えました。⑧「羅針盤（らしんばん）」・「火薬」・「活版印刷」は中国起源で、イスラム世界を経てヨーロッパに伝わり、このころ改良され、社会に大きな影響を与えました。

17. Discovery of the Sea Route to India and the New World

①Shipbuilding technology advanced in Europe.
造船技術　進歩した　ヨーロッパ
②Improved compass technology also made long distance
改良された羅針盤　～を可能にした　遠洋航海
voyages possible, leading to the development of new
(結果として)～につながった　開拓
shipping routes mainly by Spain and Portugal. ③Another
航路　スペイン　ポルトガル　～という目的もあった
goal was to increase the royal finances through the spice
王室財政を豊かにすること　～を通じて　香辛料貿易
trade directly with Asia.
直接　アジア

④In 1488, the Portuguese *Bartolomeu Dias*, got to the
ポルトガル人　バルトロメウ＝ディアス　～に着いた
Cape of Good Hope at the southern most tip of Africa.
喜望峰　アフリカ最南端
⑤In 1498, *Vasco da Gama* made it to India, by way of
ヴァスコ＝ダ＝ガマ　～に到達した　インド　～を経由して
the Cape of Good Hope. ⑥The development of these
new shipping routes enabled Portugal to directly trade
ポルトガルが香辛料を直接取引できるようになった
spices.

⑦In 1492, the Spanish Queen Isabella sent Columbus to
スペインの女王イザベル　コロンブス
find a route to India. ⑧Columbus believed that sailing
西に向かって船を進めること
west across the Atlantic Ocean would be a shorter
大西洋を横切って
route to India. ⑨Columbus crossed the Atlantic Ocean,
～を横断した

arriving at a Caribbean island, and named it San Salvador
〜に到達した　カリブ海の島　サン・サルバドル島
Island. ⑩During his four voyages, Columbus also landed
四回にわたる航海で　上陸した
on what is called the North American Continent today.
今日、北アメリカ大陸と呼ばれているところ
⑪However, he believed these lands to be parts of India.
しかし　〜の一部

17. インド航路の開拓と新大陸の発見

①ヨーロッパでは、造船技術が進歩しました。②羅針盤も改良されて遠洋航海が可能となり、スペインやポルトガルを中心に新航路開拓が盛んになりました。③アジアと直接香辛料貿易を行ない、王室財政を豊かにしようという目的もありました。

④1488年に、ポルトガル人の**バルトロメウ＝ディアス**がアフリカ最南端の喜望峰（きぼうほう）へ到達しました。⑤1498年には、**ヴァスコ＝ダ＝ガマ**が喜望峰を経由してインドへ到達しました。⑥これらの新航路の開拓により、ポルトガルは香辛料の直接取引ができるようになりました。

⑦1492年に、スペインの女王**イサベル**が、**コロンブス**をインドへの航路を見つけるよう派遣（はけん）しました。⑧コロンブスは、大西洋を横切って西に向かって進むほうがインドに近いと信じていました。⑨コロンブスは大西洋を横断して、カリブ海の島に到達し、サン＝サルバドル島と名づけました。⑩コロンブスは四回にわたる航海でアメリカ大陸にも上陸しました。⑪しかし、彼はこれらの土地をインドの一部と信じていました。

18. The Reformation

①The Reformation started with the background of the
宗教改革　～を背景に
criticism against the corruption of Catholic Churches.
批判　腐敗　カトリック教会
インダルジェンスィズ
②The Pope at that time Leo X was selling indulgences,
当時の教皇　レオ10世　贖宥状（免罪符）
or forgiveness for sins, to raise money to repair Saint
～を得るため　サン＝ピエトロ大聖堂の修築費
Peter's Basilica. ③German theologian Martin Luther
ドイツの神学者　マルティン・ルター
insisted that your soul could only be saved through
主張した　魂　救われる　～を通じて
faith. ④Luther doubted the indulgences and published
信仰　～に疑問を持った　～を発表した
The Ninety-Five Theses. ⑤Luther was excommunicated
九十五か条の論題　～に破門された
by the Pope, but gained support among royalty and
支持を得た　～の間で　諸侯
suppressed farmers. ⑥Lutheran lords were called
抑圧を受けていた農民　ルター派の諸侯
Protestants, and were at odds with Catholics.
プロテスタント　～と対立した　カトリック
⑦In Switzerland, Calvin insisted the doctrine of
スイス　カルヴァン　予定説
predestination that God decided in advance who would
救いは神があらかじめ定めておられる
be saved, and demanded strict rules in civil life.
厳格な規律を求めた　市民生活
⑧Calvin's teaching spread among people engaged in
カルヴァンの教え　広まった　商工業者
commerce and industry throughout Europe, allowing
ヨーロッパ各地の　蓄財を認めた

them the storing of wealth as the result of their ascetic
結果　禁欲的な勤労
labors. ⑨Calvinists were called Huguenot in France,
カルヴァン派　ヒューグナット ユグノー　フランス
Geusen in the Netherlands, Puritans in England, and
ゴイセン ゴイセン　オランダ　ピューリタン　イギリス
Presbyterians in Scotland.
プレスビテリアン　スコットランド

18. 宗教改革

①16世紀初めごろ、カトリック教会の腐敗に対する批判を背景に、**宗教改革**が始まりました。
②当時の教皇レオ10世は、サン＝ピエトロ大聖堂の修築費を得るため、贖宥状（しょくゆうじょう）（免罪符）を売り出していました。③ドイツの神学者**マルティン＝ルター**は、魂の救いは信仰のみによると主張していました。④ルターは、贖宥状（免罪符）に疑問を持ち、**九十五か条の論題**を発表しました。⑤ルターは教皇から破門されましたが、諸侯や抑圧を受けていた農民から支持を得ました。
⑥ルター派の諸侯らは**プロテスタント**と呼ばれ、カトリックと対立しました。
⑦スイスでは**カルヴァン**が、救いは神が定めておられるという予定説を主張し、市民生活に厳格な規律を求めました。⑧禁欲的な勤労の成果としての蓄財を認め、カルヴァンの教えはヨーロッパ各地の商工業者に広まりました。⑨カルヴァン派は、フランスでユグノー、オランダでゴイセン、イギリスでピューリタン、スコットランドでプレスビテリアン（長老派）と呼ばれました。

18. The Reformation (宗教改革)

Pope Leo IV sold indulgences (forgiveness).
教皇レオ 10 世は、贖宥状(免罪符)を販売しました。

The church made a lot of money from indulgences.
贖宥状によって得た資金は、教会の重要な財源でした。

Luther was against selling indulgences.
ルターは贖宥状販売を批判しました。

Luther gained the support of royalty, and normal citizens.
ルターの主張は諸侯や市民に支持されました。

Luther translated the New Testament into German.
ルターは新約聖書をドイツ語に翻訳しました。

Meanwhile, in Switzerland, Calvin was reforming the church there.
一方、スイスではカルヴァンが教会を改革していました。

Merchants supported the Calvinists.
カルヴァンの説は、商工業者に支持されました。

Lutherans and Calvinists were called Protestants.
ルター派とルヴァン派は、プロテスタントと呼ばれました。

19. Establishment of Absolutism

①France invaded Italy in 1494, starting the Italian Wars.
フランス　～に侵入した　イタリア　イタリア戦争
②The House of Habsburg in the Holy Roman Empire,
ハプスブルク家　神聖ローマ帝国
Italian cities, Spain and England fought in an alliance
イタリア諸都市　スペイン　イギリス　同盟して戦った
against the House of Valois in France. ③After that, as
ヴァロワ家　フランス
Spanish King Carlos I of Habsburg served also as the
スペイン王　カルロス１世　～を兼ねた
Emperor of the Holy Roman Empire (Karl V), Italian
皇帝　カール５世
cities and England formed an alliance with France
～と同盟した
against the increasing power of Habsburg. ④The Wars
強大化
ended in 1559. ⑤In Europe sovereign states developed
ヨーロッパ　主権国家　同盟外交をくりひろげた
alliance diplomacy to hold the balance of power.
勢力均衡
⑥To prepare for the monetary and personnel
～に備えて　兵員と軍事費
requirements of a prolonged war, the European nations
長期化する戦争　ヨーロッパ諸国
began working toward a unified governmental system.
統一的な統治体制をつくろうとし始めた
⑦The merchants doing a huge overseas trade and the
海外貿易を盛んに行なう大商人
lords losing their power built a relationship with the
没落した領主　～と結びついた
authority of the kings. ⑧The kings arranged their
王権　～を整えた

standing armies and the bureaucracy, gaining absolute power. ⑨ This is called absolute monarchism. ⑩ England of Elizabeth I, France of Louis XIV, and Spain of Philip II are known as absolutist states.

常備軍　ビュアロクラスィー　官僚制　絶対的な権力を握った　絶対王政　エリザベス1世　ルイ14世　フェリペ2世　〜として知られる　絶対主義国家

19. 絶対主義の成立

①1494年にフランスがイタリアに侵入し、**イタリア戦争**が始まりました。②フランスのヴァロワ家に対し、神聖ローマ帝国のハプスブルク家とイタリア諸都市・スペイン・イギリスが同盟して戦いました。③その後、ハプスブルク家出身のスペイン王カルロス1世が神聖ローマ皇帝(カール5世)を兼ねるようになると、ハプスブルク家の強大化を嫌い、イタリア諸都市やイギリスはフランスと同盟しました。④戦争は1559年に終わりました。⑤ヨーロッパは主権国家が同盟外交をくりひろげ、勢力均衡をはかるようになりました。

⑥ヨーロッパ諸国は長期化する戦争に備えて、兵員と軍事費を確保するため、統一的な国家体制をつくろうとしました。⑦海外貿易を盛んに行なう大商人や没落した領主は、後ろ楯(だて)として王権と結びつきました。⑧国王は常備軍と官僚制を整えて、絶対的な権力を握りました。⑨これを**絶対王政**といいます。⑩**エリザベス1世**時代のイギリス、**ルイ14世**時代のフランス、**フェリペ2世**時代のスペインは、絶対主義国家として知られています。

20. The Puritan Revolution and the Restoration

①James I of the Stuart Dynasty proclaimed the divine
ステュアート朝のジェームズ１世　王権神授説を唱えた
right of kings, establishing an autocracy in England.
専制政治を行なった　イギリス
② The king imposed taxes without the permission of
税を課した　議会の承諾なく
Parliament, and gave more merchants special privileges.
より多くの商人に特権を与えた
③The gentry and business people who were Calvinists
ジェントリ　商工業者　カルヴァン派
(Puritans) were especially unhappy with the state church
(ピューリタン/清教徒)　～に対してとくに不満が強くなった　権威を強めた国教会
with increased authority. ④ The following king, Charles I,
次の　チャールズ１世
continued a tyranny, so the gentry-dominated Parliament
専制政治　ジェントリが多数を占める　議会は～を提出した
presented the Petition of Right to the King. ⑤ Charles I
権利の請願
one-sidedly broke up Parliament. ⑥In order to raise
一方的に　議会を解散した　戦費調達のため
the expense of the war against Scotland, Charles I
スコットランド
called Parliament back after an 11 year break in 1640.
議会を開いた　11 年ぶりに
⑦ Parliament rebelled strongly against the King, and in
～に激しく反発した
1642, a civil war broke out between Royalists and
内戦　起こった　王党派
Parliamentarians. ⑧ The Parliamentarians led by Oliver
議会派　クロムウェルが率いた
Cromwell won the war. ⑨ Cromwell put Charles I
～を処刑した

to death, and established a republic (the Puritan
共和制が成立した　(ピューリタン革命)
Revolution). ⑩After Cromwell's death, however, the
クロムウェルの死後　しかし
monarchy was restored.
王政は復活した

20. ピューリタン革命と王政復古

①イギリスでは、ステュアート朝の国王**ジェームズ1世**が**王権神授説**を唱え、専制政治を行ないました。②国王は、議会を無視して税を課したり、特権商人を増やしたりしました。③国教会を強化してカルヴァン派（**ピューリタン**／清教徒）であるジェントリや商工業者の不満も強くなりました。④次のチャールズ1世も専制政治を行なったので、ジェントリが多数を占める議会は**権利の請願**を王に提出しました。⑤**チャールズ1世**は、一方的に議会を解散しました。⑥スコットランドとの戦費調達のため、チャールズ1世は1640年、11年ぶりに議会を開きました。⑦議会は王に激しく反発し、1642年に**王党派**と**議会派**の間で内戦が起こりました。⑧**クロムウェル**が率いた議会派が勝利しました。⑨1649年、クロムウェルはチャールズ1世を処刑し、**共和政**が成立しました。（**ピューリタン革命**）⑩しかし、クロムウェルの死後、**王政**は復活しました。

21. The Glorious Revolution and A Parliamentary Cabinet System

① King Charles II and James II after the Restoration
ジェームズ2世　王政復古
tried to restore an absolute monarchy and Catholic.
〜の復活に努めた　絶対王政　カトリック
②In response to this, Parliament invited Stadtholder
これに対して　〜を招いた　総督ウィレム
Williem of the Dutch Republic, and his wife Mary to
オランダ共和国　メアリ
take the throne. ③ Mary was the eldest daughter of
長女
James II. ④ James went into exile and the Revolution
亡命した　革命
succeeded without blood. ⑤ They took over the throne
無血で成功した　王位についた
as William III and Mary II. ⑥ This is known as the
ウィリアム3世　メアリ2世
Glorious Revolution from 1688 to 1689.
名誉革命
⑦ In 1689 the Bill of Rights was enacted. ⑧ This
権利の章典　制定された
established the foundation of constitutional monarchy
〜を確立した　基礎　立憲王政
based on parliamentary politics.
議会政治にもとづく
⑨In the early 18th century, establishing the Hanover
18世紀初めに　ハノーヴァー朝を開いた
Dynasty, George I didn't understand English so he left
ジョージ1世　〜を一に任せた
the state affairs to the cabinet. ⑩ After that, a
政務　内閣
parliamentary cabinet system, with a cabinet that
責任内閣制　議会に責任を負う内閣

answers to Parliament, was formed.

21．名誉革命と責任内閣制

①王政復古後の国王チャールズ２世や**ジェームズ２世**は、絶対王政とカトリックの復活につとめました。②これに対し、議会はオランダ総督**ウィレム**とその妻**メアリ**を招きました。③メアリはジェームズ２世の長女でした。④ジェームズは亡命し、無血で革命は成功しました。⑤２人は**ウィリアム３世**と**メアリ２世**として王位につきました。⑥これが1688年から1689年にかけての**名誉革命**です。

⑦1689年には**権利の章典**が制定されました。⑧これにより、議会政治に基づく**立憲王政**の基礎が確立しました。

⑨18世紀初め、ハノーヴァー朝を開いたジョージ１世は英語を解さず、内閣に政務を任せました。⑩その後、内閣は議会に責任を負う責任内閣制が形成されました。

22. The Puritan Revolution and the Glorious Revolution (ピューリタン革命と名誉革命)

The king of England enjoyed an autocracy.
イギリスでは国王の専制政治が行なわれていました。

The tyranny of the king led to civil war (the Puritan Revolution).
国王の専制政治に対し、内戦が起きました(ピューリタン革命)。

Parliamentarians led by Cromwell defeated the royalists to establish a republic.
クロムウェル率いる議会派が王党派を破り、共和政となりました。

After the death of Cromwell, the monarchy was reestablished.
ところがクロムウェルの死後、王政に戻りました。

The autocracy of the king was brought back, setting him against the parliament.
国王は専制政治の復活に努め、議会と対立しました。

Parliament welcomed Dutch King's daughter and her husband to become king.
議会はオランダから国王の娘婿を新しい国王候補として迎えました。

The king went into exile without resistance.
国王は抵抗せず亡命しました。

The new king and his wife were crowned (the Glorious Revolution).
新国王夫妻が誕生しました(名誉革命)。

23. Expansion of European Countries in Asia

①Portugal occupied Goa in India, taking control of
ポルトガル　インドのゴアを占領した　～を支配した
Malacca, the east hub for spice trade, and the Maluku
マラッカ　香辛料貿易の東の拠点（ハブ）　モルッカ諸島
Islands, a spice production area. ②They also opened
香辛料の生産地　～とも通商を行なった
trade with the *Ming* Dynasty (China), and Macao
明（中国）（ミン）　マカオ
became a trade hub. ③Some Portuguese were washed
貿易の拠点　ポルトガル人　～に漂着した
ashore on Tanegashima in 1543, which triggered
～が一するきっかけになった
Portugal to open trade with Japan. ④*Nanban* trade with
交易を開始する　南蛮貿易
Portugal continued until Japan closed its borders.
続いた　日本が鎖国するまで
⑤Spain was based in Manila, Philippines, exchanging
スペイン　～を拠点とした　フィリピンのマニラ　～と一を交換した
Mexican silver coins for Chinese silk and ceramics.
メキシコの銀貨　中国の絹や陶磁器
⑥From the 18th century, Europe started moving into
18 世紀以降　ヨーロッパ　進出
Asia focusing on territorial control.
～を重視した　領土支配
⑦The Dutch formed the East Indian Trading Company,
オランダ人　東インド会社を設立した
and entered into Asia. ⑧The Netherlands was the only
アジアに進出した　オランダ
European country allowed to trade with Japan after the
貿易を許された唯一のヨーロッパの国　鎖国したあとも
borders were closed. ⑨The Netherlands made profits
利益を得た

by exchanging Chinese silk and raw silk for Japanese silver and copper.

中国の絹・生糸　日本の銀・銅

⑩England and France both fought for the control of India. ⑪In 1757, the British defeated the French in the Battle of Plassey, taking dominant control in India.

イギリスとフランスはともに　～に力を注いだ　インド経営

イギリス人がフランス人を破った

プラッシーの戦い　経営を優位に進めた

23. ヨーロッパのアジア進出

①ポルトガルは、インドの**ゴア**を占領し、香辛料(こうしんりょう)貿易の東の拠点マラッカや香辛料の生産地であるモルッカ諸島などを支配しました。②明(みん)（中国）とも通商を行ない、**マカオ**は貿易の拠点になりました。③1543年、ポルトガル人が種子島(たねがしま)に漂着し、これをきっかけに日本との交易を開始しました。④日本が鎖国(さこく)するまで、ポルトガルとの南蛮(なんばん)貿易は続きました。

⑤スペインは、フィリピンの**マニラ**を拠点として、メキシコの銀貨と中国の絹や陶磁器を交換しました。

⑥18世紀以降、ヨーロッパは、アジアに対し、領土支配を重視した進出を始めました。

⑦オランダ人は**東インド会社**を設立し、アジアに進出しました。

⑧オランダは日本が鎖国したあとも日本との貿易を許された唯一のヨーロッパの国になりました。⑨オランダは、中国の絹・生糸(きいと)と日本の銀・銅を交換して利益を得ました。

⑩イギリスとフランスはともに、インド経営に力を注(そそ)ぎました。

⑪1757年、**プラッシーの戦い**で、イギリス人がフランス人を破り、インド経営を優位に進めました。

24. The American Revolution

① Thirteen British colonies were established on the east
イギリスの植民地　形成された　東岸
coast of North America. ② England allowed the colonies
イギリス　認めた
to govern themselves, but then passed the sugar act
自治　制定した　砂糖法
and stamp act putting taxes on the colonies. ③ That led
印紙法　～に課税する　～につながった
to the colonists rebelling. ④ In retribution for the tea act
植民地の人々　反抗　～に対する報復として　茶法
passed in 1773, colonists held the Boston Tea Party.
起こした　ボストン茶会事件
⑤ They dumped the tea box cargo of ships docked in
～を一に投げ捨てる　船荷　停泊した
Boston harbor into the sea.
ボストン港

⑥ In 1774 the colonists held the Continental Congress
大陸会議
to protest England's actions like closing the port of
～に抗議する　ボストン港閉鎖など
Boston. ⑦ In 1775 the battle of Lexington broke out.
武力衝突　レキシントン　起こった
⑧ The colonists fought with George Washington as their
戦った　ジョージ・ワシントン　総司令官として
leader. ⑨ On July 4, 1776, the 13 colonies' representatives
代表
announced the Declaration of Independence in the city
～を発表した　独立宣言
of Philadelphia. ⑩ With the support of France and Spain,
フィラデルフィア　～の支持を得て
the colonists were able to get an advantage over the
～に対して優位を保つ

British. ⑪ England lost the Battle of Yorktown in 1781,
〜に敗れた ヨークタウンの戦い
and in 1783 signed the Treaty of Paris recognizing the
署名した パリ条約 承認した
United States as an independent country.
独立国

24. アメリカ独立革命

①北アメリカ東岸にイギリスの13植民地が形成されました。
②イギリス本国は植民地の自治を認めましたが、砂糖法や印紙法などを制定して植民地に課税しました。③それが植民地側の反抗につながりました。④1773年に制定された茶法に対する報復として、植民地の人々は、ボストン茶会事件を起こしました。⑤彼らはボストン港に停泊中のイギリス船から船荷の紅茶箱を海に投げ捨てました。
⑥1774年、植民地側は大陸会議を開いてイギリス本国によるボストン港閉鎖などに抗議しました。⑦1775年にはレキシントンで武力衝突が起こりました。⑧植民地側は**ワシントン**を総司令官として戦いました。⑨1776年7月4日、13植民地の代表はフィラデルフィアで**独立宣言**を発表しました。⑩植民地側は、フランスとスペインの支援を得てイギリス本国に対し、戦争を優位に進めました。⑪イギリスは、1781年のヨークタウンの戦いに敗れ、1783年に**パリ条約**に署名し、アメリカ合衆国を独立国として承認しました。

25. The French Revolution ①

①The people's revolution that began in 1789 and overthrew the French monarchy is called the French Revolution.

市民革命　フランスの絶対王政を倒した　フランス革命

②The People of Third Estate engaged in commerce, industry and farming were unhappy with the ancient regime (*Ancien Regime*) controlled by the King, nobles and the Catholic Church. ③While the Estate-General gathered to make financial reforms, Representatives of Third Estate opposed to the King and nobles, and declared themselves as a National Assembly and swore to create a constitution. ④The King tried to suppress the Assembly by force, so on July 14, 1789 people attacked the Bastille prison. ⑤Later, feudal privileges were abandoned and the Declaration of the Rights of Man and the Citizen was adopted. ⑥The King's family tried but failed to run away to Austria, losing the people's trust, and a constitution of a constitutional monarchy was established, but the

第三身分に属する商工業者や農民　～に不満を持っていた　旧制度（アンシャン＝レジーム）　王　貴族　カトリック教会　三部会　財政改革　代表者たち　貴族らと対立した　自ら宣言した　国民議会として　憲法制定を誓った　～を弾圧しようとした　議会　武力で　～を襲撃した　バスティーユ（バスチーユ牢獄）　のちに　封建的特権　廃止された　人権宣言　採択された　逃亡に失敗した　オーストリア　信頼　憲法　立憲君主政　制定された

citizens hoped for a republic. ⑦ In the Legislative Assembly,
市民　共和政　立法議会
Girondins, who were in favor of a republic, gained power.
ジロンド派　～を主張する　有力になった

25. フランス革命①

①1789年に始まった、フランスの絶対王政を倒した市民革命を**フランス革命**といいます。
②第三身分に属する商工業者や農民は、王・貴族・カトリック教会が支配する旧制度(アンシャン＝レジーム)に不満を持っていました。③財政改革のため招集された三部会で、貴族らと対立した第三身分は、自ら国民議会を宣言し、憲法制定を誓(ちか)いました。④国王が武力で議会を弾圧しようとしたので、1789年7月14日に、民衆が**バスチーユ牢獄**を襲撃しました。⑤その後、封建的特権が廃止され、**人権宣言**が採択されました。⑥国王一家がオーストリアへの逃亡に失敗して信頼を失い、1791年に立憲君主政の憲法が制定されましたが、市民は**共和政**を望みました。⑦立法議会では、共和政を主張するジロンド派が有力になりました。

26. The French Revolution ②

①The *Girondins* declared war on Austria, which tried
ジロンド派　～に宣戦した　オーストリア
to interfere in the revolution. ②French force lost battle
干渉しようとする　フランス軍　敗北を重ねた
after battle to Austrian and Prussian forces. ③The
オーストリア・プロイセン連合軍
citizens of Paris and the volunteer army from the rest
市民　(パリ以外の残りの)全国からの義勇軍
of the country imprisoned the King and the *Convention*
～を幽閉した　国民公会
Nationale replaced the Legislative Assembly.
～に代わって成立した　立法議会
④In France, the radical Jacobins gained power in the
急進的なジャコバン派
Convention Nationale. ⑤The French force defeated the
プロイセン軍に勝利した
Prussian force for the first time. ⑥The monarchy was
初めて　王政は廃止された
abolished, and the establishment of a republic was
樹立　共和政
declared. ⑦This is often called the First Republic. ⑧King
宣言された　第一共和政
Louis XVI and Queen Marie Antoinette were killed.
ルイ 16 世　王妃マリー＝アントワネット　処刑された
⑨The Jacobins carried out their Reign of Terror. ⑩Soon
ジャコバン派　実行した　恐怖政治　やがて
they lost the support of the people, and their leader
～の支持を失った　指導者のロベスピエール
Robespierre was killed in the Thermidorian Reaction.
テルミドールのクーデター
⑪After the downfall of the Jacobins, the Executive
ジャコバン派の没落後　総裁政府

Directory by the Moderates was formed and the First
穏健派
Republic continued, but the government was uneasy
政権　不安定だった
under the threat of the Royalists and the Leftists. ⑫ Many
〜に脅かされて　王党派　左派
citizens and farmers hoped for social stability, so they
社会の安定
put their expectations in the military leader Napoleon.
〜に期待を寄せる　軍隊の指導者であるナポレオン

26. フランス革命②

①**ジロンド派**は、革命に干渉しようとするオーストリアに宣戦しました。②オーストリア・プロイセン連合軍に対し、フランス軍は敗北を重ねました。③パリ民衆と全国からの**義勇軍**は王を幽閉し、立法議会に代わって国民公会が成立しました。
④フランスでは、国民公会で急進的な**ジャコバン派**が力を増しました。⑤フランス軍はプロイセン軍に初めて勝利しました。
⑥王政が廃止され、共和政の樹立が宣言されました。⑦これを**第一共和政**といいます。⑧国王ルイ16世、王妃マリー＝アントワネットは処刑されました。
⑨ジャコバン派は恐怖政治を行ないました。⑩やがて民衆の支持を失い、指導者の**ロベスピエール**は、テルミドールのクーデターで処刑されました。
⑪ジャコバン派の没落後、穏健派(おんけんは)による総裁政府が成立し、第一共和政は続きましたが、王党派や左派に脅(おびや)かされて政権は不安定でした。⑫社会の安定を望んだ市民や農民は、軍隊の指導者である**ナポレオン**に期待しました。

27. The Rise and Fall of Napoleon (ナポレオンの台頭と没落)

Napoleon became dictator, ending the ten-year French Revolution.
ナポレオンは独裁権を持ち、10年間続いたフランス革命は終わりました。

Napoleon was elected emperor by the people.
ナポレオンは人民投票により皇帝になりました。

The British navy defeated the French navy at the Battle of Trafalgar.
フランス海軍はトラファルガーの海戦で、イギリス海軍に敗れました。

However, Napoleon was able to defeat the Austrian and Russian forces.
しかしナポレオンは、オーストリアとロシアの連合軍を破りました。

Napoleon invaded Russia, but was repelled.
ナポレオンはロシアに遠征しましたが、退却しました。

Napoleon lost the German War of Liberation, and was sent into exile on the island of Elba.
解放戦争が起こり、ナポレオンは敗れ、エルバ島に流されました。

Despite being brought back as emperor after returning to Paris, he was defeated at the Battle of Waterloo.
パリに戻って皇帝に復位したものの、ワーテルローの戦いで大敗しました。

Napoleon was exiled to the island of St. Helena.
ナポレオンはセントヘレナ島に流されました。

28. The Industrial Revolution in England

①England had many overseas markets. ② It also had a
イギリス　広大な海外市場
large labor force, and natural resources such as coal and
労働力　天然資源　～のような　石炭
iron. ③The manufacturing advanced the mechanization
鉄　マニュファクチュア（工場制手工業）　機械化
and motorization of production. ④These factors led to
動力化　生産　こうして～が起こった
the world's first Industrial Revolution in 18th century
産業革命　18 世紀のイギリス
England.

⑤Innovations that made mass production possible,
技術革新　～を可能にした　大量生産
started in the cotton industry. ⑥The flying shuttle
綿工業　飛び杼
invented by John Kay improved weaving process
発明された　ジョン＝ケイ　織布工程を合理化した
efficiency, leading to a yarn shortage. ⑦The spinning
（結果として）～を引き起こした　糸不足　ジェニー紡績機
Jenny invented by James Hargreaves, the water frame
ジェームズ＝ハーグリーヴズ　水力紡績機
from Richard Arkwright, and Samuel Crompton's
リチャード＝アークライト　サミュエル＝クロンプトンのミュール紡績機
spinning mule (ミュール) made the mass production of cotton yarn (ヤーン)
綿糸
possible. ⑧Cartwright invented the power loom, further
カートライト　力織機を発明した
improving the weaving machines. ⑨ Watt improved the
～の改良がさらに進んだ　織物機械　～を改良した
steam engine and it was used to power machinery.
蒸気機関　機械の動力源として使われた

⑩The practical application of Stephenson's steam locomotive made land transport by rail popular.

実用化　スティーヴンソンの蒸気機関車　鉄道による陸上輸送　人気がある

⑪Steamboats that the American, Fulton, made practical were gradually in common use.

蒸気船　フルトン　実用化した　しだいに利用されるようになった

28. イギリスの産業革命

①イギリスは、広大な**海外市場**を有していました。②豊富な**労働力**と、石炭や鉄などの天然**資源**も持っていました。③マニュファクチュア(工場制手工業)によって生産の機械化と動力化が進みました。④こうして、18世紀のイギリスで世界最初の**産業革命**が起こったのです。

⑤大量生産を可能にした技術革新は、**綿工業**から始まりました。⑥**ジョン＝ケイ**によって発明された飛び杼(ひ)は、織布工程を合理化し、糸不足を引き起こしました。⑦**ジェームズ＝ハーグリーヴズ**のジェニー紡績機、**リチャード＝アークライト**の水力紡績機、そして**サミュエル・クロンプトン**のミュール紡績機は、綿(めん)糸(し)の大量生産を可能にしました。⑧**カートライト**は力織機を発明して、織物機械の改良が進みました。⑨**ワット**は**蒸気機関**を改良し、機械の動力源として使われました。

⑩**スティーヴンソン**の**蒸気機関車**が実用化されると、鉄道による陸上輸送が普及しました。⑪アメリカ人**フルトン**が実用化した**蒸気船**はしだいに利用されるようになりました。

29. The Spread of the Industrial Revolution and Capitalism

①As a result of the Industrial Revolution, England was
産業革命の結果として　イギリス
called "the world's factory" because large quantities of
世界の工場
British industrial products were exported throughout the
イギリス製の工業製品を大量に輸出した　世界中へ
world. ②In response to England, Industrial Revolutions
～に対抗して　産業革命
occurred in other countries like Belgium, France,
起こった　～のような　ベルギー　フランス
Germany, and the United states.
ドイツ　アメリカ合衆国
③The Industrial Revolution led to the decline of the
衰退した
traditional wholesale system and manufacturing.
従来の問屋制やマニュファクチュア
④Capitalists, or managers of large factories, gained
大規模な機械制工場を経営する資本家
social status, establishing Capitalism. ⑤Populations
社会的地位　資本主義体制が確立した　人口
became more concentrated in urban areas. ⑥Social
～に集中するようになった　都市部　社会問題
problems such as poverty, crime and unsanitary living
～のような　貧困　犯罪　不衛生な生活環境
conditions became more serious. ⑦Laborers had more
深刻な　労働者
opportunities to unite, and formed labor unions. ⑧Many
団結する機会　労働組合をつくった
capitalists, in pursuit of large profits, forced their
資本家　多くの利潤を追求したため　～に強制した
laborers to work in bad conditions for long hours for
働くことを　劣悪な労働環境

a low wage. ⑨ Capitalists and laborers were opposed to each other, leading to labor problems.

低賃金　対立した　労働問題

29. 産業革命の波及と資本主義

①産業革命の結果、イギリスは世界各地へ工業製品を大量に輸出し、「**世界の工場**」と呼ばれました。②イギリスに対抗して、ベルギー・フランス・ドイツ・アメリカ合衆国などで産業革命が起こりました。

③産業革命によって、従来の問屋制やマニュファクチュア（工場制手工業）は衰退しました。④大規模な**機械制工場**を経営する**資本家**が社会的地位を高め、**資本主義体制**が確立しました。⑤人口が都市に集中するようになりました。⑥貧困や犯罪、不衛生な生活環境などの社会問題が深刻になりました。⑦労働者は団結する機会が増え、**労働組合**をつくりました。⑧多くの資本家は多くの利潤を追求したため、労働者に劣悪な労働環境や低賃金、長時間労働を強制しました。⑨資本家と労働者は対立し、**労働問題**が発生しました。

30. The Vienna System

① After the French Revolution and the wars of Napoleon,
フランス革命　ナポレオン戦争
Europe was in confusion. ② In 1814, in an effort to
ヨーロッパ　混乱していた　ヨーロッパの秩序を回復するために
restore the European order, an international conference
会議
was held in Vienna with the representatives of European
開かれた　ウィーン　代表
countries. ③ The system of international order that was
国際秩序
decided at this conference is called the Vienna System.
この会議により成立した〜　ウィーン体制
④ The conference proceeded with difficulty because of
難航した
the conflicting interests of the different countries, but
利害対立
Napoleon's arrival brought them to the agreement. ⑤ The
ナポレオンの上陸　合意
basic principle of the conference was Legitimism that the
基本原則　正統主義
borders and governments before the French Revolution
領土　政治体制
were recognized as legitimate. ⑥ This enabled the
正統と認める　これにより〜が—できた
House of Bourbon to regain the throne in France and
ブルボン家　復活すること　フランス
Spain. ⑦ In Germany, the German Confederation was
スペイン　ドイツ　ドイツ連邦
organized with countries such as Austria and *Preussen*
組織された　オーストリア　プロイセン(プロシア)
(Prussia).

⑧ The Vienna System was an international order supported by the Holy Alliance and the Quadruple Alliance. ⑨The Liberalism and the Nationalism arose throughout Europe from the French Revolution and the wars of Napoleon, and they caused the revolts against the Vienna System.

supported by：〜に支えられた　the Holy Alliance：神聖同盟　the Quadruple Alliance：四国同盟　The Liberalism：自由主義　the Nationalism：国民主義　arose throughout Europe：ヨーロッパ各地で目覚めた　caused：〜を引き起こした　the revolts：反抗運動

30. ウィーン体制

①フランス革命とナポレオン戦争のあと、ヨーロッパは混乱していました。②1814年、ヨーロッパの秩序を回復するため、ヨーロッパ諸国の代表が参加してウィーンで会議が開かれました。③この会議により成立した国際秩序を**ウィーン体制**と呼びます。④会議は各国の利害対立で難航しましたが、ナポレオンの上陸をきっかけに合意に達しました。⑤会議の基本原則は、フランス革命前の領土と政治体制を正統とする**正統主義**でした。⑥これによって、フランスやスペインではブルボン家が復活しました。⑦ドイツでは、オーストリアやプロイセン（プロシア）などからなる**ドイツ連邦**が組織されました。
⑧ウィーン体制は、**神聖同盟**や**四国同盟**によって支えられた国際秩序でした。⑨フランス革命やナポレオン戦争でヨーロッパ各地に目覚めた**自由主義**や**国民主義**(**ナショナリズム**)は、ウィーン体制に対し反抗運動を引き起こしました。

31. The July Revolution and Revolution of 1848

① In France after the Bourbon Restoration, Charles X,
フランス　王政復古　シャルル10世
the successor to Louis XVIII, adopted reactionary
～の後継者　ルイ18世　反動政治を行なった
policies protecting the aristocrats and the Catholic
～を保護する　貴族　カトリック教会
Church, which the Liberalists opposed strongly. ② The
自由主義者　反発が強まった
people of Paris revolted in July 1830, and Charles X
パリ　蜂起した
was sent into exile. ③ The Liberalist Louis Philippe of
追放された　自由主義者である～　オルレアン家のルイ＝フィリップ
Orleans was crowned king. ④ This is known as the July
国王に迎えられた　七月革命
Revolution.

⑤ After the July Revolution, the Industrial Revolution in
産業革命
France was in full swing. ⑥ The July Monarchy brought
本格化した　七月王政
about the predominance of great bourgeoisie such as
大ブルジョアジーが支配的になった　銀行家など
bankers, and a severely restrictive election system. ⑦ In
きびしい制限選挙
February 1848, as the movement claiming to reform
～を要求する運動　選挙法を改正すること
election laws was suppressed by the government, a
弾圧された　政府
revolution occurred in Paris again and the king was
革命
exiled. ⑧ This is called the French Revolution of 1848.
亡命した　二月革命（1848年革命）

⑨ Louis Napoleon, a nephew of Napoleon I, was elected president. ⑩ He became dictator, and was then elected emperor by the people, naming himself Napoleon III. (the Second Empire)

ルイ＝ナポレオン / ネフュー / ナポレオン１世の甥 / (選挙で)大統領に選ばれた / 独裁権を握った / 皇帝 / 人民投票で / ナポレオン３世 / 第二帝政

31. 七月革命と二月革命

①王政復古後のフランスでは、ルイ18世の次の**シャルル10世**が貴族やカトリック教会を保護する反動政治を行ない、自由主義者の反発が強まりました。②1830年7月にパリで民衆が蜂起し、シャルル10世は追放されました。③自由主義者であるオルレアン家の**ルイ＝フィリップ**が国王に迎えられました。④これを**七月革命**といいます。
⑤七月革命のあと、フランスでは産業革命が本格化しました。
⑥七月王政では銀行家などの大ブルジョアジーが支配的になり、きびしい制限選挙が敷かれていました。⑦1848年2月、選挙法改正を要求する運動が政府によって弾圧されると、再びパリで革命が起こり、国王は亡命しました。⑧これを**二月革命**といいます。
⑨ナポレオン1世の甥にあたるルイ＝ナポレオンが、選挙で大統領に選ばれました。⑩彼は独裁権を握り、さらに人民投票で皇帝に選ばれて、**ナポレオン3世**と名乗りました(第二帝政)。

32. Socialist Ideology

①A Capitalist system was established as a result of the
資本主義体制　確立した　～の結果として
Industrial Revolution. ②Capitalists ran their factories
産業革命　資本家　工場を経営した
and pursued a profit. ③Laborers worked in the factory
利潤を追求した　労働者　工場
and earned wages. ④However, workers grew dissatisfied
賃金を得た　しかし　労働者　不満や怒りが高まった
and angry with the bad treatment by capitalists, such as
搾取　～など
long hours, low wages, and poor working conditions.
低賃金　劣悪な労働条件
⑤The beliefs of Socialism were developed for the
社会主義思想　～の解決を目指して
resolution of workers' misery in the early 19th century.
労働者の悲惨さ
⑥Socialists insisted that factories and other means of
社会主義者　～と説いた　生産手段
production should not be privately owned and that an
私的所有を否定する
equal society should be formed.
平等な社会
⑦Karl Marx and Friedrich Engels insisted that Socialism
カール＝マルクス　フリードリヒ＝エンゲルス
should be realized through international unity of the
実現させるべきである　～を通じて　国際的団結
working class. ⑧Their beliefs were published in 1848 as
労働者階級　思想　発表された
マニフェスト　デア　コミュニスティシェン　パルタイ
"*Manifest der Kommunistischen Partei* (Manifesto of
共産党宣言
the Communist Party)" and it has had a great influence
～に大きな影響を及ぼした

on later socialist movements.
その後の社会主義運動

32. 社会主義思想

①産業革命の結果、**資本主義体制**が確立しました。②資本家は工場を経営し、利潤を追求しました。③労働者は工場で働き、賃金を得ました。④しかし、長時間労働や低賃金、劣悪な労働環境など、資本家の搾取（さくしゅ）に対し、労働者の不満や怒りは高まる一方でした。

⑤労働者の悲惨な状況の解決を目指して、19世紀前半に**社会主義思想**が誕生しました。⑥社会主義者たちは、工場など生産手段の私的所有を否定して、平等な社会をつくるべきだと説（と）きました。

⑦**カール＝マルクス**と**フリードリヒ＝エンゲルス**は、労働者階級の国際的団結による社会主義の実現を説きました。⑧彼らの思想は『**共産党宣言**』として1848年に発表され、その後の社会主義運動に大きな影響を及ぼしました。

33. The Unifications of Germany and Italy

①Italy and Germany were split into many countries
イタリア　ドイツ　～に分かれていた
until the late 19th century.
19世紀後半まで
② In Italy, the Kingdom of Sardinia worked to unify Italy.
サルデーニャ王国　～の統一を進めた
③Under the authority of King *Vittorio Emanuele* II,
ヴィットーリオ＝エマヌエーレ2世が王のとき
Prime minister Cavour promoted modernization, and
首相カヴール　近代化を進めた
he signed a secret agreement with Napoleon III, fought
密約を結んだ　ナポレオン3世
against Austria, and won the war. ④ In 1861, the Kingdom
オーストリア　イタリア王国
of Italy was established, and *Vittorio Emanuele* II
設立された　ヴィットーリオ＝エマヌエーレ2世
became the first king. ⑤ He was able to unify Italy in
イタリア統一を実現させた
1870, by taking control of the Austrian controlled
併合すること　オーストリア領のヴェネツィア
Venice in the Austro-Prussian War and occupying the
普墺戦争　占領
Papal States in the Franco-Prussian War.
ローマ教皇領　普仏戦争
⑥ In Germany, the German Customs Union was
ドイツ関税同盟
established mainly with *Preussen*(プロイセン). ⑦The Prussian King
プロイセン　プロイセンの王ヴィルヘルム1世
Wilhelm I appointed Bismarck as prime minister.
～を首相に任命した　ビスマルク
⑧ Bismarck advanced German unification under the
ドイツ統一を進めた

"Iron and Blood Policy" including a stronger military.
鉄血政策　〜を含めた　軍事力の強化
⑨ *Preussen* won in both the Austro-Prussian, and the Franco-Prussian wars. ⑩ In 1871 Wilhelm I became the German Emperor, establishing the German Empire.
ヴィルヘルム1世　ドイツ皇帝　ドイツ帝国を設立した

33. イタリアの統一とドイツの統一

①イタリアとドイツは、19世紀後半まで多くの国に分かれていました。
②イタリアでは、**サルデーニャ王国**がイタリアの統一を進めました。③**ヴィットーリオ＝エマヌエーレ2世**が王のとき、首相**カヴール**は近代化を進め、ナポレオン3世と密約を結んでオーストリアと戦い、これを破りました。④1861年にイタリア王国が成立し、ヴィットーリオ＝エマヌエーレ2世が初代国王となりました。⑤**普墺戦争**（ふおう）ではオーストリア領ヴェネツィアを併合（へいごう）し、**普仏戦争**（ふふつ）の際にはローマ教皇領を占領し、1870年にイタリア統一が実現しました。
⑥ドイツでは、プロイセンを中心に**ドイツ関税同盟**が発足しました。⑦プロイセン王**ヴィルヘルム1世**は、**ビスマルク**を首相に任命しました。⑧ビスマルクは、軍事力を強化する「**鉄血政策**（てっけつ）」で、ドイツ統一を進めました。⑨プロイセンは、普墺戦争と普仏戦争の両方で勝利しました。⑩1871年にヴィルヘルム1世がドイツ皇帝となり、ドイツ帝国が成立しました。

34. The Crimean War

①Russia carried on moving southward in an effort to
ロシア　南下政策を実行した　出口を求めて
attain the way out from its ice-free ports in the Black Sea
不凍港　黒海
to the Mediterranean. ②The weakening of the Ottoman
地中海　弱体化　オスマン帝国
Empire encouraged the independence movements of
〜を促した　独立運動
their various ethnic groups, which led European powers
諸民族　ヨーロッパ列強
to plan their expansion into Asia. ③Conflict arose
アジアへの進出を目論む　対立が生じた
between Russia and these powers.

④Russia, claiming to be protecting Greek Orthodox
ギリシア正教徒の保護を要求して
Christians in the Ottoman Empire, started a war against
〜と開戦した
the Ottoman Empire in 1853. ⑤In response, Great Britain
これに対して　イギリス
and France joined the war on the side of the Ottoman
フランス　〜に味方して
Empire. ⑥This is called the Crimean War. ⑦Russia lost
クリミア戦争
the Crimean War, and its advances southward failed.
南下政策は失敗した
⑧Russia had firm systems of serfdom and autocracy.
農奴制と専制政治が強固だった
⑨Russian defeat in the Crimean War made their
敗北　後進性が明らかになった
backwardness known, and Emperor *Aleksandr* II keenly
皇帝アレクサンドル２世　〜を痛感した

felt the necessity of reforms, issuing the Emancipation
改革の必要性　農奴解放令を出した
Reform in 1861. ⑩However, events such as the revolt in
しかし　〜のような出来事　ポーランドの反乱
Poland and peasant revolts led to increased power for
農民一揆　専制政治を強化した
the emperor.

34. クリミア戦争

①ロシアは、黒海の不凍港から地中海への出口を求める**南下政策**を進めました。②オスマン帝国の弱体化は諸民族の独立運動を促し、ヨーロッパ列強はこれを利用してアジアへの進出を目論みました。③ロシアと列強の間に対立が生じました。
④ロシアは、オスマン帝国領内のギリシア正教徒の保護を理由に、1853年にオスマン帝国と開戦しました。⑤これに対し、イギリスやフランスがオスマン帝国に味方して参戦しました。
⑥これを**クリミア戦争**といいます。⑦ロシアはクリミア戦争に敗れ、南下政策は失敗しました。
⑧ロシアは、農奴制と専制政治が強固でした。⑨クリミア戦争の敗北でロシアの後進性は明らかになり、改革の必要を痛感した皇帝**アレクサンドル2世**は、1861年に**農奴解放令**を出しました。⑩しかし、ポーランドの反乱や農民一揆があり、逆に皇帝は専制政治を強化しました。

35. Development of the United States

①The United States maintained a neutral stance on the wars of Napoleon and were gaining profits from trade.

アメリカ合衆国 中立の立場を維持した ナポレオン戦争 利益を得ていた 貿易

②However, a British sea blockade hurt American trade, leading to the War of 1812.

しかし イギリスの海上封鎖 アメリカの通商を妨害した ～を引き起こした 1812年のアメリカ・イギリス戦争

③Monroe, the fifth president, declared the Monroe Doctrine, which refused European intervention in America, and isolationism was the foundation of American foreign policy from then on.

第5代大統領モンロー モンロー宣言を発した ～を拒否する ヨーロッパの干渉 孤立主義 基本 アメリカの外交政策 以後

④The United States acquired Louisiana from France, and Florida from Spain. ⑤And they absorbed Texas and Oregon. ⑥The United States acquired California by winning the U.S.-Mexican War, connecting the American territories with the Pacific Ocean.

～を買収した ルイジアナ フランス フロリダ スペイン ～を併合した テキサス オレゴン カリフォルニア アメリカ＝メキシコ戦争 ～が―に達した 領土 太平洋岸

⑦Associated with the expansion of territory, the westward movement occurred that many people moved westward, developing the wild west. ⑧Native Indians

～と結びついて 拡大 西漸運動 起こった 西へ移住した 未開の西部を開拓した 先住民インディアン

were oppressed by white settlers and were forced to move to reservations by the Indian Removal Act.

圧迫された　白人　移住させられた　保留地　強制移住法

35. アメリカ合衆国の発展

①アメリカ合衆国は、ナポレオン戦争に対して中立を守り、貿易による利益を得ていました。②しかし、イギリスが海上封鎖をしてアメリカの通商を妨害したので、1812年に**アメリカ＝イギリス戦争**が起きました。

③第5代大統領**モンロー**は、ヨーロッパのアメリカへの干渉を拒否する**モンロー宣言**を発し、以後、**孤立主義**がアメリカ外交の基本となりました。

④アメリカは、フランスから**ルイジアナ**を、スペインから**フロリダ**を買収しました。⑤**テキサス**と**オレゴン**を併合しました。

⑥アメリカは**アメリカ＝メキシコ戦争**に勝利して**カリフォルニア**を獲得し、アメリカの領土は太平洋岸に達しました。⑦未開の西部を開拓し、西へ移住する**西漸運動**が領土の拡大と結びついて起きました。⑧先住民**インディアン**は白人に圧迫され、強制移住法により居留地へ移住させられました。

36. The Civil War

①In the American south, there were many large farms
アメリカ合衆国の南部　プランテーションと呼ばれる大農園
called plantations that used black slaves. ②Cotton was
黒人奴隷　綿花
mainly grown and was exported to the British cotton
輸出された　イギリスの綿工業
industry. ③The Industrial Revolution in the north helped
産業革命　北部
develop capitalism. ④The south insisted on keeping
発達することを助ける　資本主義　南部　～を主張した　奴隷制存続
slavery, free trade, and the theory of states' right. ⑤The
自由貿易　州権主義
north was against slavery, demanded a protective tariff
～に反対だった　～を主張した　保護関税政策
policy to compete with Great Britain, and insisted on
～に対抗するために　イギリス
federalism. ⑥In 1860, the anti-slavery Republican
連邦主義　奴隷制反対の　共和党のリンカン
candidate Lincoln was elected president. ⑦The southern
大統領に選ばれた　南部諸州
states left the Union, starting the Civil War. ⑧Lincoln
連邦から離脱した　南北戦争
issued the Emancipation Proclamation. ⑨The Union
発布した　奴隷解放宣言　北軍（北のユニオン軍）
Forces in the north won at the Battle of Gettysburg,
ゲティスバーグの戦い
giving them the upper hand. ⑩The Confederate Forces
優勢　南軍（南の連合軍）
in the south surrendered, and the unity of the United
降伏した　統一
States was preserved.
守られた

⑪ Slavery was abolished under the Thirteenth
廃止された　憲法修正第13条
Amendment to the United States Constitution, but the
discrimination against blacks remained.
黒人差別　残った

36. 南北戦争

①アメリカ合衆国の南部では、**プランテーション**と呼ばれる黒人奴隷を使用する大農園がたくさんありました。②主に綿花が栽培され、イギリスの綿工業向けに輸出されました。③北部では産業革命が進み、資本主義が発達していました。④南部は**奴隷制存続**、自由貿易、州権主義を主張しました。⑤北部は**奴隷制反対**で、イギリスに対抗するための保護関税政策、連邦主義を主張しました。

⑥1860年、奴隷制反対を唱える共和党の**リンカン**が大統領に選ばれました。⑦南部諸州は連邦から離脱し、**南北戦争**が始まりました。⑧リンカンは**奴隷解放宣言**を発布しました。⑨**ゲティスバーグの戦い**で勝利した北軍が優勢になりました。⑩南軍は降伏し、合衆国の統一は守られました。

⑪憲法修正第13条より、奴隷制は廃止されましたが、黒人差別は存続しました。

37. Imperialism and the Western Powers

①After the depression in 1870s, the financial capital and the monopoly capital were formed in Western countries. ②The industrialized capitalist nations of these Western countries are called the world powers. ③These powers competed on the back of their military forces for colonies, seeking markets to invest their capital in, markets to export their products to, and the supply areas of raw materials. ④These actions are called Imperialism.

1870年代の不況　金融資本　独占資本　形成された　欧米諸国　先進資本主義諸国　列強　〜の獲得競争を繰り広げた　〜を背景に　軍事力　植民地　〜を求めて　資本の投下先　製品の輸出市場　供給地　原材料　動き　帝国主義

⑤Many countries in Africa and Asia became colonies of the powers. ⑥The Congress of Berlin was held during 1884 and 1885, and the principle that the first occupying country would get the territorial rights was decided in the congress, promoting the division of Africa by the world powers. ⑦Britain advanced the 3 C policy in which they colonized Cairo, Cape Town, and Calcutta (today's

アフリカ　アジア　ベルリン会議　開かれた　〜という原則　最初に占領した国　領有権　決まった　(〜が)加速した　アフリカ分割　〜を進めた　3C政策　カイロ　ケープタウン　インドのカルカッタ(今のコルカタ)

Kolkata) in India.

⑧Britain's 3 C policy conflicted with France's trans-African policy and in 1898 the Fashoda Incident occurred. ⑨The borders decided by the powers in disregard of the ethnic distribution, and the racial clashes used for the control of their colonies, still have serious bad influences on African countries today.

〜と衝突した　横断政策　ファショダ事件　起こった　国境線　〜を無視して　民族分布　部族対立　〜のために利用する　支配　深刻な悪影響を残している

37. 帝国主義と欧米列強

①1870年代の不況を経て、欧米諸国では金融資本や独占資本が形成されました。②欧米の先進資本主義諸国は**列強**と呼ばれます。③列強は資本の投下先や製品の輸出市場、原材料の供給地を求め、軍事力を背景に植民地獲得競争を繰り広げました。④このような動きを**帝国主義**といいます。

⑤アフリカやアジアは、列強の植民地になりました。⑥1884〜1885年にベルリン会議が開かれ、最初に占領した国が領有権を持つという原則が決まり、列強のアフリカ分割は急速に進みました。⑦イギリスは、**カイロ**・**ケープタウン**・インドの**カルカッタ**(今のコルカタ)を結ぶ**3C政策**を進めました。

⑧3C政策はフランスの横断政策と衝突し、1898年に**ファショダ事件**が起こりました。⑨民族分布などを無視して列強が画定(かくてい)した国境線や、支配のために利用した部族対立は、今日のアフリカ各国に深刻な悪影響を残しています。

38. The First World War

① In 1914, the Crown Prince of Austria and his wife were
皇太子　オーストリア
shot dead by a Serbian youth in Sarajevo in the Balkan
射殺された　セルビア人青年　サライェヴォ　バルカン半島
Peninsula. ② Austria declared war on Serbia. ③ Germany
～に宣戦した　セルビア　ドイツ
fought on the Austrian side. ④ Russia issued the general
オーストリア側について参戦した　ロシア　～を出した　総動員令
mobilization order to support Serbia. ⑤ Germany
セルビア支援のための
declared war on Russia and began to march into France,
進軍を開始した　フランス
invading the neutral country Belgium. ⑥ For this reason,
～に侵入した　中立国ベルギー　これを理由に
the United Kingdom declared war on Germany.
イギリス
⑦ On the grounds of the Anglo-Japanese Alliance, Japan
～に基づき　日英同盟
sided with the United Kingdom, France and Russia (the
～に味方した
Allies), while the Ottoman Empire and Bulgaria joined
連合国　一方、　オスマン帝国　ブルガリア　参戦した
the war on the side of Germany and Austria (the Central
同盟国
Powers).

⑧ The war became an all-out war. ⑨ The United States
総力戦　アメリカ合衆国
entered the war supporting the Allies, giving them the
～の側にたって参戦した
upper hand. ⑩ In 1918, the countries of the Central
優勢

Powers surrendered one after another.
相次いで降伏した
⑪ In Germany, the emperor was exiled by a revolution
皇帝　亡命した　講和を求める革命
calling for peace. ⑫ The German republic signed a peace
共和国となったドイツ　休戦条約を結んだ
agreement with the Allies in November, 1918, ending

the war.

38. 第一次世界大戦

①1914年、オーストリア皇太子夫妻が、**バルカン半島**の**サラ**
イェヴォでセルビア人の青年に射殺されました。②**オーストリ**
アは**セルビア**に宣戦しました。③**ドイツ**は、オーストリア側に
ついて参戦しました。④**ロシア**はセルビア支援のための総動員
令を出しました。⑤ドイツはロシアに宣戦し、またフランスへ
の進軍を開始して、中立国ベルギーに侵入しました。⑥これを
理由に**イギリス**はドイツに宣戦しました。
⑦**日英同盟**に基(もと)づき、**日本**は英・仏・露に味方し（**連合国**）、**オ**
スマン帝国や**ブルガリア**は、独墺(どくおう)の側で参戦しました（**同盟国**）。
⑧戦争は**総力戦**となりました。⑨アメリカ合衆国が連合国側に
たって参戦すると、連合国が優勢となりました。⑩1918年に
入ると、同盟国は相次いで降伏しました。
⑪ドイツでは、講和を求める革命が起こり、皇帝が亡命しまし
た。⑫共和国となったドイツは、1918年11月に連合国と休戦
条約を結び、大戦は終結しました。

39. The Russian Revolution and the Soviet Regime

①Russia was continually defeated in the First World
ロシア 敗北を続けていた 第一次世界大戦
War. ②Food and supply shortages increased the people's
食糧や物資の欠乏 ～を高めた
frustrations. ③A general strike occurred in the capital
不満 ゼネスト 起こった 首都ペトログラード
of Petrograd and soldiers joined the workers, developing
兵士 労働者に合流した ～に発展した
into the movements for bringing down the tyranny.
運動 ～を目指す 専制打倒
④Workers and soldiers formed a convention called the
～を結成した 代表者会議
Soviet. ⑤A temporary government was established after
ソヴィエト 臨時政府 樹立した
Emperor *Nikolai* II gave up the throne, ending the
皇帝ニコライ２世 退位した
Romanov Dynasty. ⑥This is called the February
ロマノフ帝政 二月革命
Revolution.

⑦Fighting continued, however, in the dual power
戦争は継続された 二重権力状態
situation of the temporary government and the Soviet.

⑧Lenin, the leader of the *Bolsheviki*, called "All power
レーニン 指導者 ボリシェヴィキ 「すべての権力をソヴィエトに」
to the soviets" and brought down the temporary
～を倒した
government, establishing the Soviet government. ⑨This
ソヴィエト政権
is called the October Revolution.
十月革命

⑩The *Bolsheviki* was renamed the Communist Party, moved the capital to Moscow, and attempted to establish a socialist state. ⑪In 1922, the Union of Soviet Socialist Republics (USSR) was formed with the four Soviet Republics of Russia, Ukraine, Belarus, and Transcaucasia.

was renamed：〜と改称した　the Communist Party：共産党　moved the capital to：首都を〜に移した　Moscow：モスクワ　attempted to establish：〜を建設しようとした　a socialist state：社会主義国家　the Union of Soviet Socialist Republics (USSR)：ソヴィエト社会主義共和国連邦（ソ連）　was formed：成立した　Soviet Republics：ソヴィエト共和国　Ukraine：ウクライナ　Belarus：ベラルーシ　Transcaucasia（トランスコーケイジャ）：ザカフカース

39. ロシア革命とソヴィエト政権

①ロシアは、第一次世界大戦で敗北を続けていました。②食料や物資は欠乏し、国民の不満が高まりました。③首都ペトログラードでゼネストが起こり、労働者に兵士が合流して専制打倒を目指す運動に発展しました。④労働者や兵士は、**ソヴィエト**と呼ばれる代表者会議を結成しました。⑤皇帝**ニコライ2世**が退位して、**ロマノフ朝**は崩壊し、**臨時政府**が樹立しました。⑥これを**二月革命**といいます。

⑦臨時政府とソヴィエトの二重権力状態のなか、戦争は継続されました。⑧**ボリシェヴィキ**（ロシア社会民主党の多数派）の指導者**レーニン**は、「すべての権力をソヴィエトへ」と訴え、武装蜂起（ほうき）によって臨時政府を倒し、ソヴィエト政権を樹立しました。⑨これを**十月革命**といいます。

⑩ボリシェヴィキは**共産党**と改称し、首都を**モスクワ**に移し、**社会主義国家**を建設しようとしました。⑪1922年、ロシア・ウクライナ・ベラルーシ・ザカフカースの4つのソヴィエト共和国で構成する**ソヴィエト社会主義共和国連邦（ソ連）**が成立しました。

40. The Treaty of Versailles and League of Nations

①The Paris Peace Conference was held at the end of the
パリ講和会議　開かれた
First World War. ②The meeting focused on the Fourteen
第一次世界大戦　～に基づいて進められた　十四カ条
Points proposed by American President Wilson. ③The
アメリカ合衆国大統領ウィルソンが提案した
Fourteen Points, including the abolition of secret
～を含めた　廃止　秘密外交
diplomacy and racial self-determination, emphasized the
民族自決　～を強調した
realization of peace by justice, humanity and international
平和の実現　正義　人道　国際協調
cooperation. ④However, the victorious nations of Great
しかし　戦勝国　イギリス
Britain and France asserted their own interests. ⑤A
フランス　～を強く主張した　利益
new international order regardless of whether a nation
国際秩序　戦勝国・敗戦国の別にかかわらず
was victorious or not in the War was not created.
創出されなかった

⑥The Treaty of Versailles was signed between the
ヴェルサイユ条約　結ばれた
victorious nations and Germany in the Palace of
ドイツ　ヴェルサイユ宮殿
Versailles on the outskirts of Paris. ⑦Germany lost part
パリ郊外　本国の一部
of its land and all of its colonies, had military restrictions
すべての植民地　軍備を制限された
put on it, and had to pay a large sum in reparations.
巨額の賠償金

⑧As proposed by Wilson, the League of Nations was
ウィルソンの提案により　国際連盟

established. ⑨The League of Nations was the world's first international organization seeking international cooperation and world peace.

established: 設立された
international organization: 国際組織
seeking: 〜を求める
international cooperation: 国際協力
world peace: 世界平和

40. ヴェルサイユ条約と国際連盟

①第一次世界大戦が終結すると、**パリ講和会議**が開かれました。
②会議は、アメリカ合衆国大統領**ウィルソン**が提案した**十四カ条**に基づいて進められました。③十四カ条は、秘密外交の廃止や民族自決など、正義と人道、国際協調による平和の実現を強調しました。④しかし、戦勝国であるイギリスとフランスは自国の利益を強く主張しました。⑤戦勝国・敗戦国の区別を超えた新しい国際秩序は創出されませんでした。
⑥パリ郊外にあるヴェルサイユ宮殿で、戦勝国とドイツとの間で**ヴェルサイユ条約**が結ばれました。⑦ドイツは、本国の一部とすべての植民地を失い、軍備を制限され、巨額の賠償金を支払うことになりました。
⑧ウィルソンの提案により、**国際連盟**が設立されました。⑨国際連盟は、国際協力と世界平和を求める世界初の国際組織でした。

41. Europe and America under the Versailles System

①The new international order in Europe established
国際秩序　ヨーロッパ　定められた
mainly by the victorious nations of World War I at the
戦勝国　第一次世界大戦
Paris Peace Conference, is called the Versailles System.
パリ講和会議　ヴェルサイユ体制
②In Germany, the democratic Weimar Constitution was
ドイツ　民主的な　ワイマール憲法
adopted. ③However, huge reparation payments led to
制定された　しかし　多額の賠償金の支払い
severe inflation. ④France, seeking reparations,
激しいインフレーション　フランス　賠償金支払いを求める
occupied Ruhr, which led to a worsened relationship
ルールを占領した　関係が悪化した
between Germany and France.

⑤The diplomatic efforts of the United Kingdom, Germany
外交努力　イギリス(英)
and France helped to develop an atmosphere of growing
高まった　ムード
international cooperation, and in 1926 Germany was able
国際協調
to join the League of Nations. ⑥In 1928 the Kellogg-
国際連盟　不戦条約(ケロッグ・ブリアン条約)
Briand Pact was adopted in Paris and the use of war
採択された
was prohibited as a means of resolving conflicts.
禁止された　紛争解決の手段として
⑦New nations were born in Eastern Europe and the
国家　東ヨーロッパ
Balkan Peninsula.
バルカン半島

(8) The United States of America changed from a borrower nation to a lender nation by lending large amounts of money to the Allies during the war. (9) The United States in the 1920s dominated other countries even in the industrial power and they entered the period of an economic boom.

アメリカ合衆国　債務国　債権国　多額の融資を行なった　連合国　1920年代　～を圧倒した　工業力でも　大好況期

41．ヴェルサイユ体制下の欧米

①第一次世界大戦の戦勝国が中心となり、パリ講和会議で定められたヨーロッパの新しい国際秩序を、**ヴェルサイユ体制**といいます。②ドイツでは、民主的な**ワイマール憲法**が制定されました。③しかし、多額の賠償金が負担となり、激しいインフレーションにみまわれました。④賠償金支払いを求めるフランスはルールを占領し、独仏関係は悪化しました。
⑤しかし、英・独・仏の外交努力によって国際協調のムードが高まり、1926年にドイツの国際連盟加盟が実現しました。
⑥1928年にパリで**不戦条約**（ケロッグ・ブリアン条約）が結ばれ、紛争解決の手段として戦争に訴えないことが約束されました。
⑦東ヨーロッパやバルカン半島では、新しい国家が誕生しました。
⑧アメリカ合衆国は、第一次世界大戦中、連合国向けの多額の融資を行ない、債務国から債権国となりました。⑨1920年代のアメリカは、工業力でも他の国々を圧倒し、大好況期を迎えました。

42. The Great Depression

① In 1929 the stock prices at the New York Stock
株価　ニューヨーク株式取引所
Exchange collapsed, which caused the United States to
大暴落した　～に―させる　アメリカ合衆国
fall into a depression. ② In 1933 the number of the
～に陥る　恐慌　失業者数
unemployed skyrocketed to about 13 million and the
～に達した　約 1300 万人
unemployment rate reached 25%. ③ The complete
失業率
confusion in the United States, which was at the center
混乱　～の中心で
of the world economy at the time, severely affected the
経済　当時の　～に深刻な影響を与えた
world economy. ④ Panic spread to European countries
恐慌　広がった　ヨーロッパ諸国
and Japan, and every country other than the Soviet
～を除く　ソ連
Union fell into recession.
不景気

⑤ In the United States, President Franklin Roosevelt
フランクリン＝ローズヴェルト大統領
carried out economic recovery policies called the New
～を実施した　経済復興政策　ニューディール
Deal, which aggressively carried out public works
積極的に　公共事業
projects to give jobs to the unemployed.
職　失業者

⑥ England and France, strengthened economic ties with
イギリス　フランス　～を強めた　経済的結びつき
their colonies, and carried out economic blocs, where
植民地　ブロック経済

exclusively high tariffs were put on goods from outside their blocs.
排他的な高関税 / 〜に課された / 域外製品

⑦ Some countries such as Nazi (ナーツィ) Germany and Japan attempted to advance externally by force.
〜のような / ナチス＝ドイツ / 対外進出を目指した / 武力で

42. 世界恐慌

①1929年、ニューヨーク株式取引所で株価が大暴落し、アメリカ合衆国は恐慌（きょうこう）に陥（おちい）りました。②1933年には失業者が約1300万人、失業率が25%に達しました。③世界経済の中心だったアメリカ合衆国の混乱は、世界経済に深刻な影響を与えました。④恐慌はヨーロッパ諸国や日本などにも広がり、ソ連を除くあらゆる国が不景気に陥りました。
⑤アメリカ合衆国では、**フランクリン＝ローズヴェルト**大統領が、公共事業を積極的に行なって失業者に職を与える**ニューディール**と呼ばれる経済復興政策を実施しました。
⑥イギリスとフランスは、本国と植民地の経済的結びつきを強め、域外製品には排他的な高関税をかける**ブロック経済**を実施しました。
⑦ナチス＝ドイツや日本のように、武力で対外進出を目指す国も現れました。

43. The Rise of Fascism

①Single-party regime, which calls for anti-communism
一党独裁体制 ～を掲げる 反共産主義
and anti-liberalism and claims the ethnic and national
反自由主義 ～を主張する 民族・国家の至上権
supremacy, is called Fascism. ②The first fascist regime
ファシズム ファシスト政権
was established in Italy. ③After the First World War,
成立した イタリア 第一次世界大戦
though Italy was a victorious country, they were not
～にもかかわらず 戦勝国 認められなかった
allowed to get new territory, and labor disputes heated
領土要求 労働争議 激化した
up because of the financial distress and the acceleration
財政の困窮 インフレの進行
of inflation. ④In these circumstances, the Fascist Party
こうしたなか ファシスト党
led by Mussolini became rapidly popular. ⑤The Fascist
ムッソリーニ率いる 急速に台頭した
Party came to power by attracting the support of
～の支持を集めて
capitalists and the middle class, becoming a dictatorship.
資本家 中産階級 独裁政権
⑥In Germany, social unrest in the wake of the great
ドイツ 社会不安 ～のあとに続いて 世界恐慌
ナーツィ
depression enabled Hitler's Nazis to gain support from
～が―するのを可能にする ヒトラー ナチス 支持を集めた
the people. ⑦The Nazis gained support by claiming
ナチス ～を主張して
German superiority and the pulling out of the Treaty of
優秀性 破棄 ヴェルサイユ条約
Versailles, which imposed reparations on Germany and
賠償金を課す

restricted their military. ⑧ Hitler rose to power, realizing
軍備を制限する　政権を獲得した
the Nazi dictatorship. ⑨ Many opponents and the Jews
ナチスの一党独裁　反対派　ユダヤ人（ジューズ）
were persecuted by the *Gestapo* (secret police),
迫害された　秘密警察であるゲシュタポ
Schutzstaffel (protection staff), and *Sturmabteilung*
親衛隊（シュッツシュタッフェル）　突撃隊（シュトゥルムアプタイルン）
(storm troops).

43．ファシズムの台頭

①反共産主義・反自由主義を掲（かか）げ、民族・国家の至上権を主張する一党独裁体制を**ファシズム**といいます。②最初にファシズム政権が成立したのはイタリアでした。③イタリアは第一次世界大戦後、戦勝国なのに領土要求は認められず、財政の困窮（こんきゅう）やインフレの進行で労働争議が激化しました。④こうしたなか、**ムッソリーニ**率いる**ファシスト党**が急速に台頭しました。⑤ファシスト党は、資本家や中産階級の支持を集めて政権を握ると、独裁政権を行ないました。

⑥ドイツでは、世界恐慌後の社会不安のなか、**ヒトラー**率いる**ナチス**が国民の支持を集めました。⑦ナチスは、ドイツに賠償金を課し、軍備を制限するヴェルサイユ条約の破棄や、ドイツ人の優秀性を主張して支持者を拡大していきました。⑧政権を獲得したヒトラーはナチスの一党独裁を実現しました。⑨秘密警察であるゲシュタポ、親衛隊、そして突撃隊によって、多くの反対派やユダヤ人は迫害されました。

44. The Second World War

①The Nazi(ナーツィ) regime in Germany carried out the rearmament and demanded the surrounding ethnic German areas with a slogan of German reintegration.
ナチス政権　ドイツ　〜を実行した　再軍備　〜を要求した　周辺のドイツ人居住地域　ドイツ人統合のスローガン

② Germany incorporated Austria, and in September of 1939 they began invading Poland. ③ This caused France and the United Kingdom to declare war on Germany, starting World War II. ④ Germany invaded Denmark, Norway, Holland and Belgium. ⑤ They invaded France, and occupied Paris. ⑥ Italy fought on the German side.
オーストリアを併合した　ポーランド侵攻を開始した　〜が―する理由になった　フランス　イギリス　〜に宣戦する　第二次世界大戦　〜に侵入した　デンマーク　ノルウェー　オランダ　ベルギー　パリを占領した　イタリア　戦った　ドイツ側について

⑦Suffering economic blockades, Japan made a surprise attack on Pearl Harbor in Hawaii in December of 1941.
〜に苦しんで　経済封鎖　〜を奇襲した　真珠湾　ハワイ

⑧ Japan declared war on America and the United Kingdom, beginning the War in the Pacific.
〜が始まった　太平洋戦争

⑨ From the latter half of 1942, the Allied Forces led by America and the United Kingdom were able to dominate the Axis(アクスィス) Forces of Japan, Germany, and Italy. ⑩ The full-
後半　連合国側　〜を中心とする　〜を圧倒するようになった　枢軸国側　総攻撃

scale attack from the Allies led to the unconditional surrender of Italy and Germany. ⑪ Japan accepted the Potsdam Declaration and made an unconditional surrender after atomic bombs were dropped on Hiroshima and Nagasaki.

～を導いた　無条件降伏　～を受け入れた　ポツダム宣言　原子爆弾　～に投下された

44. 第二次世界大戦

①ドイツのナチス政権は再軍備を実行し、ドイツ人統合のスローガンを掲げ、周辺のドイツ人居住地域を要求しました。
②ドイツはオーストリアを併合し、1939年9月ポーランド侵攻を開始しました。③これに対して、フランスとイギリスがドイツに宣戦し、**第二次世界大戦**が始まりました。④ドイツはデンマーク・ノルウエー・オランダ・ベルギーに侵入しました。
⑤ドイツはフランスに侵攻してパリを占領しました。⑥イタリアはドイツ側について参戦しました。
⑦経済封鎖に苦しんだ日本は、1941年12月にハワイの**真珠湾**を奇襲しました。⑧日本はアメリカ・イギリスに宣戦し、**太平洋戦争**が始まりました。
⑨1942年後半からアメリカ・イギリスを中心とする**連合国側**が、日本・ドイツ・イタリアの**枢軸**（すうじく）**国側**を圧倒するようになりました。⑩総攻撃を受けたイタリアとドイツは無条件降伏をしました。⑪日本は原子爆弾が広島と長崎に投下されたあと、**ポツダム宣言**を受け入れて、無条件降伏しました。

45. The United Nations, and Post-war Europe

① In October 1945, the United Nations was newly established in place of the League of Nations. ② The United Nations is an international organization whose main goal is maintaining international peace. ③The headquarters is in New York and the administration is made by the decisions at the General Assembly, in which all member countries participate. ④ The United Nations has various specialized organizations including the United Nations Educational, Scientific and Cultural Organization (UNESCO), and the International Labour Organization (ILO). ⑤ The five countries of the United States, the United Kingdom, the Soviet Union, France, and China were chosen to be permanent members of the Security Council. ⑥ These five countries have the authority to veto decisions.

国際連合 / 新たに発足した / 国際連盟に代わって / 国際機関 / 国際平和の維持を主な目的とする / 本部 / ニューヨーク / 運営される / 決定 / 全加盟国が参加する総会 / 多くの専門機関 / ～など / 国際連合教育科学文化機関（UNESCO） / 国際労働機関（ILO） / アメリカ合衆国 / イギリス / ソ連 / フランス / 中国 / 選ばれた / 安全保障理事会の常任理事国 / 拒否権（決定を拒否する権限）

⑦ After the Second World War, the Soviet Union

第二次世界大戦

established socialist regimes in Eastern Europe. ⑧ The
社会主義政権を樹立させた　東ヨーロッパ
United States issued the Truman Doctrine to support
～を発表した　トルーマン・ドクトリン　～を援助する
Liberal states under the internal and external pressure
自由主義諸国　内外からの　圧迫
from Communism. ⑨ The United States also issued the
共産主義
Marshall Plan to help with the reconstruction of Western
マーシャル・プラン　～を支援した　復興　西ヨーロッパ
Europe. ⑩ These were the main parts of "the containment
「封じ込め政策」
policy" to counter the expansion of the Communist bloc.
対抗する　拡大　共産圏

45. 国際連合と大戦後のヨーロッパ諸国

①1945年10月、**国際連盟**に代わり、新たに**国際連合**が発足しました。②国際連合は、国際平和の維持を主な目的とした国際機関です。③本部はニューヨークに置かれ、全加盟国が参加する**総会**の決定で運営されます。④国際連合は、国際連合教育科学文化機関(ＵＮＥＳＣＯ)や国際労働機関(ＩＬＯ)など、多くの専門機関を備えています。⑤**安全保障理事会**の**常任理事国**には、アメリカ合衆国・イギリス・ソ連・フランス・中国の五カ国が選ばれました。⑥これらの五カ国は**拒否権**（決定を拒否する権限)を持っています。

⑦第二次世界大戦後、ソ連は東ヨーロッパに社会主義政権を樹立させました。⑧アメリカ合衆国は、内外から共産主義の圧迫にさらされている自由主義諸国を援助する**トルーマン・ドクトリン**を発表しました。⑨アメリカはまた、**マーシャル・プラン**を発表し、西ヨーロッパの復興を支援しました。⑩これらが、共産圏の拡大に対する「封じ込め政策」です。

46. The Cold War

① In the Second World War, the United States and the
第二次世界大戦 アメリカ合衆国

Soviet Union cooperated in defeating fascism and led
ソ連 協力した ファシズム打倒

the Allies to victory. ② After the war, the two countries
連合国を勝利に導いた

held great force as superpowers, by developing and
超大国 ～を開発・保有した

keeping nuclear weapons. ③ The Soviet Union carried
核兵器 ～の拡大を進めた

on expanding the socialist bloc. ④ Capitalist countries
社会主義圏 資本主義諸国

centering on the United States felt an increased sense
～を中心とする 感じた 危機感

of danger against Socialist countries. ⑤ The world was
社会主義諸国

divided with the West on the American side, and the
～に分かれた アメリカ合衆国を中心とする西側陣営

East on the Soviet side. ⑥ Both the Soviet Union and the
ソ連を中心とする東側陣営

United States tried to get a lot of countries on their side.
多くの国を自国の陣営に引き入れようとした

⑦ The United States formed the North Atlantic Treaty
～を結成した 北大西洋条約機構（NATO）

Organization (NATO). ⑧ The Soviet Union formed the

ウォーソー

Warsaw Pact. ⑨ Because this conflict did not involve
ワルシャワ条約機構 対立 直接戦火を伴わなかった

direct combat, it was called the Cold War. ⑩ Germany
冷戦 ドイツ

was divided into East and West Germany by the conflict.
～に分断された 東ドイツと西ドイツ

⑪ In 1961, walls were constructed on the border between East and West Berlin. ⑫ The Berlin Wall became a symbol of the Cold War.

were constructed：築かれた　the border：境界　East and West Berlin：東西ベルリン　The Berlin Wall：ベルリンの壁　a symbol：象徴

46. 冷戦

①アメリカ合衆国とソ連は、第二次世界大戦において、ファシズム打倒のために協力し、連合国を勝利に導(みちび)きました。②戦後、両国は核兵器を開発・保有し、超大国として強大な力を持ちました。③ソ連は、社会主義圏の拡大を進めました。④アメリカ合衆国を中心とする資本主義諸国は、社会主義諸国に対して危機感を強めました。⑤世界は、アメリカ合衆国を中心とする**西側陣営**と、ソ連を中心とする**東側陣営**に分かれました。⑥ソ連とアメリカ合衆国は、多くの国を自国の陣営に引き入れようとしました。⑦アメリカ合衆国は**北大西洋条約機構**（ＮＡＴＯ）を結成しました。⑧ソ連は**ワルシャワ条約機構**を結成しました。⑨この対立は、直接戦火を交(まじ)えることがなかったため、**冷戦**と呼ばれました。⑩この対立により、ドイツは、東ドイツと西ドイツに分断されました。⑪1961年、東西ベルリン境界に壁が築かれました。⑫**ベルリンの壁**は冷戦の象徴となりました。

47. Third World Independence

①Many countries in Asia and Africa, which became
アジア　アフリカ　植民地支配から独立した
independent from the colonial rule, were afraid of
恐れていた
getting involved in the conflicts between the East
～に巻き込まれること　東西対立
and West.

②Prime Minister Zhou Enlai of China held talks with
首相　周恩来（チョウ エンライ）　中華人民共和国　～と会談した
Prime Minister Nehru of India to issue the Five Principles
インドのネルー　平和(←平和的な共存の)五原則を発表した
of Peaceful Coexistence. ③In 1955, the representatives
代表
of twenty nine countries from Africa and Asia met in
Bandung, Indonesia for the Asian-African Conference.
インドネシアのバンドンに集まった　アジア・アフリカ会議
④At this conference, ten principles including anti-
会議　十原則　～を盛り込んだ
colonialism and peaceful coexistence were adopted.
反植民地主義　平和共存　採択された
⑤This was the first opportunity for African and Asian
機会　アフリカとアジアの国々
countries to express their common intentions to the
～を表明した　共通の意思
international community. ⑥These countries showed
国際社会　存在感を示した
their presence to the world as the Third World, not
第三世界
belonging to the East or West.
東西陣営のいずれにも属さない

⑦ In 1960, seventeen, or about one third of current African countries became independent in just one year.

〜の約3分の1にあたる17カ国　現在のアフリカ諸国　独立した

⑧ This year is called "the Year of Africa."

アフリカの年

47. 第三世界の自立

①植民地支配から独立したアジアやアフリカの国々は、東西対立に巻き込まれることを恐れていました。

②中華人民共和国の周恩来(しゅうおんらい)首相は、インドの**ネルー**首相と会談して、平和五原則を発表しました。③1955年には、インドネシアのバンドンにアフリカとアジアから29カ国の代表が集まり、**アジア・アフリカ会議**が開かれました。④この会議では、反植民地主義や平和共存を盛り込んだ十原則が採択されました。⑤アフリカとアジアの国々が、国際社会に対して彼らの共通の意思を表明した最初の会議でした。⑥これらの国々は、東西両陣営のいずれにも属さない**第三世界**として、世界の中で存在感を示しました。

⑦1960年には、現在のアフリカ諸国の約3分の1にあたる17カ国が一斉に独立しました。⑧この年は「**アフリカの年**」といわれています。

48. Thawing of the Cold War, and the Cuban Missile Crisis

① The Soviet dictator Stalin died in 1953. ② The newly
ソ連の独裁者スターリン　就任した
appointed First Secretary of the Communist Party
党第一書記
クルシチョーフ
Khrushchov criticized Stalin, and called for peaceful
フルシチョフ　スターリン批判をした　～を訴えた　西側陣営との平和共存
coexistence with the West. ③ He met with President
～と会談した　大統領アイゼンハウアー
Eisenhower, becoming the first Soviet leader to visit
～になった　～を訪問した初めてのソ連の指導者
ソーイング
the United States. ④ This shift was called a “thawing.”
アメリカ合衆国　転換　「雪どけ」
⑤ Revolution in Cuba led to a socialist government being
キューバ革命　社会主義政権が成立した
established in Cuba. ⑥ *Khrushchov* built missile bases in
～にミサイルを配備した
Cuba. ⑦ President Kennedy fiercely opposed this action
ケネディ大統領　～に猛反発した　行動
and enforced a sea blockade, and the U.S. faced the
～を強行した　海上封鎖　アメリカ合衆国は～に直面した
danger of military conflict with the Soviet Union.
危機　～との軍事衝突　ソ連
⑧ These events are known as the Cuban Missile Crisis.
事件　キューバ危機
⑨ The Soviets removed the missiles, and the crisis was
ソ連　ミサイルを撤去した　危機は回避された
avoided.

⑩ This crisis led the United States, the United Kingdom
イギリス（英）
and the Soviet Union to sign the Partial Test Ban Treaty
ソ連（ソ）　～を結んだ　部分的核実験停止条約

in 1963, in an effort to reduce the spread of nuclear weapons, which greatly promoted the eased tension.

in an effort to reduce：〜を抑えようと　spread：拡大　nuclear weapons：核兵器　greatly promoted：大きく進んだ　the eased tension：緊張緩和

48. 雪どけとキューバ危機

①ソ連の独裁者スターリンが1953年に死去しました。②党第一書記に就任した**フルシチョフ**は、**スターリン批判**を行ない、西側陣営との平和共存を訴えました。③彼は**アイゼンハウアー大統領**と会談し、アメリカ合衆国を訪問した初めてのソ連の指導者となりました。④この転換は「**雪どけ**」と呼ばれました。

⑤キューバ革命が起こり、キューバで社会主義政権が成立しました。⑥フルシチョフは、キューバにミサイルを配備しました。

⑦この行動にアメリカ合衆国の**ケネディ大統領**は猛反発して海上封鎖を強行し、アメリカ合衆国はソ連との軍事衝突の危機に直面しました。⑧これを**キューバ危機**といいます。⑨ソ連はミサイルを撤去し、危機は回避されました。

⑩この危機をきっかけに、核兵器の拡大を抑(おさ)えようと、米・英・ソは1963年に**部分的核実験停止条約**を結び、緊張緩和(かんわ)は大きく進みました。

49. The Vietnam War

① After the Second World War, the Democratic Republic
第二次世界大戦　ベトナム民主共和国(北ベトナム)
of Vietnam (North Vietnam) was established in French
成立した　フランス領インドシナ
Indochina. ②The Indochina War broke out between
インドシナ戦争　起こった
the Democratic Republic of Vietnam and France, which
フランス　～を認めない
wouldn't recognize its independence. ③ France was
独立
defeated, and withdrew from Vietnam. ④However,
敗れた　インドシナから撤退した　しかし
Vietnam was divided into the North and South under
ベトナム　南北に分断された
the Geneva Accords in 1954.
ジュネーヴ協定
⑤Backed by the United States, the Republic of Vietnam
～に支援されて　アメリカ合衆国　ベトナム共和国(南ベトナム)
(South Vietnam) was established. ⑥The National Front
南ベトナム解放民族戦線
for the Liberation of South Vietnam, which was formed
結成された
in 1960, carried out anti-American and anti-government
～を行なった　反米・反政府の
guerrilla activities in cooperation with the North
ゲリラ活動　～と連携して　北ベトナム
Vietnamese. ⑦ America began bombing North Vietnam,
北ベトナム爆撃(北爆)を開始した
starting the Vietnam War. ⑧The Paris Peace Accords in
ベトナム戦争　パリ和平協定
1973 led the United States to withdraw its troops. ⑨The
軍は撤退した

North Vietnamese army and the Liberation Front
北ベトナム軍
occupied Saigon, establishing the Socialist Republic of
サイゴンを占領した　ベトナム社会主義共和国が成立した
Vietnam.

49. ベトナム戦争

①フランス領インドシナでは、第二次世界大戦後、**ベトナム民主共和国**（北ベトナム）が成立しました。②ベトナム民主共和国と独立を認めないフランスとの間に**インドシナ戦争**が起こりました。③フランスは敗れ、ベトナムから撤退しました。④しかし、1954年のジュネーヴ協定でベトナムは南北に分断されました。⑤アメリカ合衆国に支援されて、**ベトナム共和国**（南ベトナム）が成立しました。⑥1960年に結成された**南ベトナム解放民族戦線**は、北ベトナムと連携して、反米・反政府のゲリラ活動を行ないました。⑦アメリカ合衆国は、北ベトナム爆撃（**北爆**）を開始し、**ベトナム戦争**が始まりました。⑧1973年にパリ和平協定が成立して、アメリカ軍は撤退しました。⑨北ベトナム軍と解放民族戦線がサイゴンを占領し、**ベトナム社会主義共和国**が成立しました。

50. The Arab-Israeli Conflict

①Fighting over Palestine in the eastern Mediterranean
戦争　パレスチナをめぐって　地中海東岸
broke out between Israel and Arab countries such as
起こった　イスラエル　シリアやエジプトなどのアラブ諸国
Syria and Egypt. ② War has broken out four times, and
is known as the Arab-Israeli conflict.
中東戦争
③ After the Second World War, the United Nations
第二次世界大戦　国際連合
decided to divide Palestine into a Jewish state, and an
～を一に分割すること　ユダヤ人国家
Arab state. ④ In 1948, when Jews announced the
アラブ人国家　ジューズ　ユダヤ人　～を発表した
founding of Israel, Arab countries objected, starting the
イスラエルの建国　反発した　(結果として)～が始まった
first war. ⑤ Israel secured its independence through a
独立を確保した　国際連合の調停により
United Nations settlement. ⑥However, many Arabs
しかし　アラブ人(パレスチナ人)
(Palestinians) were driven from the land, and became
土地を追われた
refugees.
難民
⑦In 1993 Chairman Arafat of the Palestine Liberation
アラファト議長　パレスチナ解放機構(PLO)
Organization (PLO) and Prime Minister Rabin of Israel
ラビン首相
signed an agreement recognizing the Palestinian interim
～に調印した　パレスチナ暫定自治協定(←パレスチナの暫定的な自治を認める協定)
self-government. ⑧This established an autonomous
これにより～が設けられた　パレスチナ暫定自治区

Palestinian region, and was the beginning of autonomy
パレスチナ人による自治
for the Palestinian people.

50. 中東戦争

①地中海東岸に位置する**パレスチナ**をめぐり、イスラエルと、シリアやエジプトなどのアラブ諸国の間に戦争が起きました。
②四度に及ぶこの戦争を**中東戦争**といいます。
③第二次世界大戦後、国際連合は、パレスチナをユダヤ人国家とアラブ人国家に分割することを決めました。④1948年、ユダヤ人が**イスラエル**の建国を発表すると、アラブ諸国は反発して第一次中東戦争が起きました。⑤国際連合の調停により、イスラエルは独立を確保しました。⑥しかし、多くのアラブ人(パレスチナ人)が土地を追われ、**難民**となりました。
⑦1993年、**パレスチナ解放機構**（ＰＬＯ）のアラファト**議長**と、イスラエルの**ラビン首相**が、**パレスチナ**暫定(ざんてい)**自治協定**に調印しました。⑧これにより、**パレスチナ暫定自治区**が設けられ、パレスチナ人による自治が開始されました。

51. The Oil Shock

①The fourth war in the Arab-Israeli conflict broke out as
第四次中東戦争 起こった ~したとき
the armies of Egypt and Syria attacked Israel in 1973.
エジプト・シリア両軍 ~を攻撃した イスラエル
ペトロウリアム
②The Organization of Arab Petroleum Exporting
アラブ石油輸出国機構(OAPEC)
Countries (OAPEC) stopped or limited exports of crude
原油の輸出
oil to countries that supported Israel. ③The Organization
親イスラエル諸国 石油輸出国機構(OPEC)
of Petroleum Exporting Countries (OPEC) also put the
~を発動した
oil strategy in motion which greatly increased oil prices.
石油戦略 原油価格を大幅の引き上げる
④This had a serious impact on industrialized nations
~に大きな打撃を与えた 先進国
that were continuing their economic growth using
経済成長
cheap oil as the main energy resource.
安価な石油 エネルギー源
⑤The rising of consumer prices in the 1970s in Japan is
上昇 消費者物価 1970年代
called a "price frenzy." ⑥In some areas, items not directly
「狂乱物価」 一部の地域では ~と直接関係のない
linked to the price of oil like detergent and toilet paper
洗剤やトイレットペーパーなどの
were stocked up on and ran short, so people's fear
買いだめされた 品不足になった 不安
spread. ⑦Saving energy was called for because of the
広がった 省エネルギーが叫ばれた 原油価格の上昇から
rising price of oil and actions were taken to restrict the
処置 ~を制限する

consumption of electricity and oil, such as the
消費　電力
cancellation of late-night television broadcasts and the
中止　テレビ深夜放送
closing of gasoline stations on Sundays. ⑧ The year 1974
ガソリンスタンド
was the first year since the end of the Second World War
戦後
that the Japanese economy recorded negative growth,
マイナス成長
bringing an end to the Japanese economic miracle.
高度経済成長

51. 石油ショック

①1973年、エジプト・シリア両軍がイスラエルを攻撃し、**第四次中東戦争**が起きました。②**アラブ石油輸出国機構**（ＯＡＰＥＣ（オアペック））は、親イスラエル諸国に対し、原油の輸出停止や制限を行ないました。③さらに、**石油輸出国機構**（ＯＰＥＣ（オペック））も原油価格を大幅に引き上げる石油戦略を発動しました。④安価な石油をエネルギー源に経済成長を続けてきた先進国に大きな打撃を与えました。

⑤日本における1970年代の消費者物価の上昇は「**狂乱物価**」と呼ばれます。⑥一部の地域では、原油価格と直接関係のない洗剤やトイレットペーパーなどの買いだめ・品不足が起き、国民の不安が広がりました。⑦原油価格の上昇から**省エネルギー**が叫ばれ、テレビ深夜放送の中止や、ガソリンスタンドの日曜日休業など、電力や石油消費を制限する処置がとられました。

⑧1974年は戦後初のマイナス成長となり、日本の**高度経済成長**は終わりました。

52. The End of the Soviet Union, and the Collapse of Socialism

①*Gorbachev*, the top leader of the Soviet Union, made
ゴルバチョフ　最高指導者　ソ連　改革を行なった
reforms to stimulate the economy and the society,
～を活性化させるため　経済　社会
calling for *perestroika* (reconstruction) and its basis
～を掲げて　ペレストロイカ（立て直し）　基本
glasnost (more open information). ② He introduced
グラスノスチ（情報公開）　～を導入した
market principles and allowed freedom of private
市場原理　～を認めた　自由　個人営業
management. ③A multi-candidate election was held,
複数候補による選挙　行なわれた
aiming to break away from the one-party control. ④ In
脱却を目指して　一党独裁
1991, the coup attempted by Conservatives was
保守派が試みたクーデター
unsuccessful, and the Communist Party of the Soviet
失敗した　ソ連共産党
Union was dissolved for their involvement in the coup.
解散した　～にかかわったとして
⑤In 1991, the republics that made up the Soviet Union
～を構成していた共和国
left it, and the Commonwealth of Independent States
離脱した　独立国家共同体（CIS）
(CIS) was formed around the Russian Federation,
～を中心に結成された　ロシア連邦
dissolving the Soviet Union.
（結果として）ソ連は解体した
⑥Democratic movements became popular also among
民主化運動　～でも盛んになった
other socialist nations of Eastern Europe. ⑦The
社会主義国　東ヨーロッパ

communist regimes of countries including Poland and
共産党政権　〜などの　ポーランド
Czechoslovakia were brought down, ending the Eastern
チェコスロヴァキア　倒された　東欧の社会主義圏
European socialist bloc. ⑧In November of 1989, the
Berlin Wall, a symbol of East-West division was torn
ベルリンの壁　東西分断の象徴　壊された
down. ⑨The unity of East and West Germany was
統一　東西ドイツ
realized in October of 1990.
実現した

52. ソ連の消滅と社会主義国の崩壊

①ソ連の最高指導者となった**ゴルバチョフ**は、経済と社会の活性化のため、**ペレストロイカ**（立て直し）と、その基本となる**グラスノスチ**（情報公開）を掲げ、改革を行ないました。②市場原理を導入して、個人営業の自由を認めました。③一党支配の脱却を目指し、複数候補による選挙を実施しました。④1991年、保守派が試みたクーデターは失敗し、それにかかわったとしてソ連共産党は解散しました。⑤1991年、ソ連を構成していた共和国は連邦を離脱し、ロシア連邦を中心に**独立国家共同体**（ＣＩＳ）が結成され、ソ連は解体しました。
⑥東ヨーロッパの社会主義国でも民主化運動が盛んになりました。⑦ポーランドやチェコスロヴァキアなどで共産党政権が倒され、東欧の社会主義圏は消滅しました。⑧ドイツでは、1989年11月、東西分断の象徴だった**ベルリンの壁**が壊（こわ）されました。⑨1990年10月、**東西ドイツの統一**が実現しました。

53. The Gulf War

①In 1990, with a mountain of debt from the Iran-Iraq
巨額の負債　イラン・イラク戦争
War, President *Hussein* of Iraq invaded Kuwait, an oil-
フセイン大統領　イラク　クウェートに侵攻した　産油国
producing country which he always claimed to be part
かねてから〜だと主張していた　自国領
of his country. ②The United Nations Security Council
国連安全保障理事会
passed a resolution demanding an unconditional
決議した　要求する　即時無条件撤退
immediate withdrawal and economic sanctions, but Iraq
経済制裁
ignored it. ③The United Nations adopted a resolution
これを無視した　国連　〜を認める決議を採択した
approving the use of force against Iraq in case they
武力行使　撤退しなければ
didn't withdraw within a time limit.
期限内に

④In 1991, the multinational force led by the United
多国籍軍　アメリカ合衆国を中心とする
States put the campaign "Desert Storm" in motion and
〜を発動した「砂漠の嵐」作戦
began bombing Iraq, starting the Gulf War. ⑤The events
爆撃　湾岸戦争　様子
of the war were reported through the media in real time,
伝えられた　メディアを通じて　リアルタイムで
and pictures of missiles hitting their targets were shown.
映像　ミサイルが命中する　流された
⑥Iraq was defeated by the multinational force about a
敗れた
month after the bombing campaign, ending the war.

⑦Iraqi troops withdrew from Kuwait. ⑧Japan provided a total of 13 billion dollars in financial aid for the Gulf War, meaning that Japan paid most of the war expenses. ⑨However, Japan was not able to send the Self-Defense Forces (SDF) because of the 9th article of the constitution, so was not thanked by Kuwait.

Iraqi troops withdrew：イラク軍は撤退した
a total of 13 billion dollars：計130億ドル
financial aid：資金援助
meaning that：(〜ということ)を意味する
most of the war expenses：戦費のほとんど
However：しかし
was not able to send：〜を派遣できなかった
the Self-Defense Forces (SDF)：自衛隊
the 9th article of the constitution：憲法第9条
was not thanked by Kuwait：クウェートから感謝されなかった

53. 湾岸戦争

①**イラン・イラク戦争**で巨額の負債をかかえたイラクのフセイン大統領は、1990年、かねてから自国領だと主張していた産油国クウェートに侵攻しました。②**国連安全保障理事会**は、即時無条件撤退要求や経済制裁を決議しましたが、イラクはこれを無視しました。③国連は、イラクが期限内に撤退しなければ武力行使を認める決議を採択しました。
④1991年、アメリカ合衆国を中心とする**多国籍軍**が、「**砂漠の嵐**」作戦を発動してイラクへの爆撃を開始し、**湾岸戦争**が始まりました。⑤メディアを通じてリアルタイムで戦争が伝えられ、ミサイルが命中する映像が流されました。
⑥イラクは、空爆から1カ月あまりで多国籍軍に敗れ、戦争は終結しました。⑦イラク軍はクウェートから撤退しました。
⑧日本は湾岸戦争に対し、計130億ドルも資金援助を行ない、戦費のほとんどを負担しました。⑨しかし、憲法第9条の規定により自衛隊を派遣できず、日本はクウェートから感謝されませんでした。

54. Lehman Shock

① "Lehman Shock" is an English term coined in Japan
リーマンショック 英語の 用語 作り出された 日本
and used to refer to the worldwide financial crisis
使われる ～について表わすために 世界的な 金融の 危機
caused by the bankruptcy of the major US securities
～によって引き起こされた 経営破綻 大手の アメリカの 証券
and investment banking firm Lehman Brothers in
投資 銀行 会社 リーマン・ブラザーズ
September of 2008. ② In America, demand for housing
9月 アメリカ ～への需要 住宅
began to rise around 2003 and housing loan companies
増え始めた ～頃 住宅ローン 会社
introduced housing loans aimed at low income earners,
～を導入した ～に向けた 低所得者
or subprime loans. ③ Housing loan companies sold
すなわち サブプライムローン ～を売った
subprime loan credits to investment and securities firms.
債権
④ The securities firms changed these credits into securities
～を…に変えた
and sold them on the market. ⑤ However, housing prices
市場 しかし 価格
began falling in 2006 and in 2007 it came to light that
下落し始めた 明るみに出た
subprime loans were becoming non-performing loans,
～になりつつある 不良債権（←機能していない融資）
causing investment banks to fall into a business slump.
～を…させた ～に陥る 経営 不振
⑥ As other major securities firms were being helped
～だが 他の 救済されていた
through acquisition or receiving public funds, a buyer
～によって 買収 もしくは ～を受け取ること 公的な 資金 買い手

for Lehman Brothers could not be found and it went bankrupt. ⑦ The bankruptcy of Lehman Brothers shocked the financial world, leading to a worldwide recession including Japan and EU countries.

could not be found：見つけられなかった　went bankrupt：経営破綻した　shocked：〜に衝撃を与えた　world：世界　leading to：〜へ導いた　recession：景気後退　including：〜を含んで　Japan：日本　EU countries：ＥＵ諸国

54. リーマンショック

①**リーマンショック**とは、2008年9月のアメリカの大手証券会社・投資銀行の**リーマン・ブラザーズ**の経営破綻(はたん)によって起きた世界的な金融危機を表わす和製英語です。②アメリカでは2003年頃から住宅の需要が増え、住宅ローン会社は低所得者向け住宅ローンである**サブプライムローン**を扱いました。③住宅ローン会社は、サブプライムローンの債権を投資会社や証券会社へ売り出しました。④証券会社はその債権を証券化して、市場(しじょう)で販売しました。⑤しかし、2006年に住宅価格の下落(げらく)が始まり、2007年にはサブプライムローンの不良債権化が明るみに出て、投資銀行は経営不振に陥(おちい)りました。⑥ほかの大手証券会社が買収(ばいしゅう)や公的資金の投入により救済されるなか、リーマン・ブラザーズには買い手がつかず、経営破綻しました。⑦リーマン・ブラザーズの経営破綻は金融界に衝撃を与え、日本やＥＵ諸国を巻き込んで世界的な景気後退を招きました。

55. The Arab Spring

① In December of 2010, in northern Africa's Tunisia,
12月 北アフリカの チュニジア
a young unemployed man tried to commit suicide by
若い 雇用されていない 男性 ～しようとした 自殺する
setting himself on fire in protest of being stopped by
～を置くことによって 彼自身 火中に ～に抗議して 取り締まられたこと
the police for selling on the street. ② Right after this,
(←警察に止められたこと) 売ることを 路上で ～の直後
large scale anti-government demonstrations occurred
大規模な 反政府の デモ 起きた
in a number of places. ③ In January of 2011, Tunisian
いくつかの～ 場所 1月 チュニジアの
President Ben Ali *fled the country and his dictatorship
ベン・アリ大統領 ～から逃げた 国 独裁政権
collapsed. ④ This is called the Jasmine Revolution.
崩壊した ～と呼ばれる ジャスミン革命
⑤ This Jasmine Revolution spread to the neighboring
広がった 周辺の
countries. ⑥ In Egypt, anti-government demonstrations
エジプト
became bigger and President Mubarak resigned.
より大きくなった ムバラク大統領 退陣した
⑦ In Libya, political opponents overthrew Gaddafi's
リビア 政治的な 反対者 ～を転覆させた カダフィ(ガッダーフィーズ)の
regime. ⑧ Demonstrations and protest activities against
政権 抗議 活動 ～に対する
the government also broke out in other Arab countries
政府 ～もまた 発生した 他の アラブの
such as Algeria, Yemen, Saudi Arabia, Jordan and Syria.
～のような アルジェリア イエメン サウジアラビア ヨルダン(ジョードゥン) シリア
⑨ The full-scale democratic movements occurring in a
本格的な 民主的な 運動

＊fled：flee（～から逃げる）の過去形。

number of countries in the Middle East and northern
中東　北アフリカの
African region from 2011 is called the Arab Spring
地域　アラブの春
following the democratic movement that occurred in
〜にならって　プラーグ
1968 in Czechoslovakia, or "the Prague Spring."
チェコスロバキア　プラハの春

55. アラブの春

①2010年12月、北アフリカの**チュニジア**で、一人の失業中の青年が、路上販売に対する取り締まりに抗議し、焼身自殺を図(はか)りました。②その直後から、各地で大規模な反政府デモが起きました。③2011年1月、チュニジアのベン・アリ大統領は国外に逃亡し、独裁政権が崩壊しました。④これを**ジャスミン革命**といいます。⑤このジャスミン革命が周辺各国に波及しました。⑥エジプトでは、反政府デモが激化し、**ムバラク大統領**が退陣しました。⑦リビアでは、反体制派が**カダフィ政権**を崩壊させました。⑧アルジェリア・イエメン・サウジアラビア・ヨルダン・シリアなどのアラブ諸国でも、政府に対するデモや抗議活動が発生しました。⑨2011年から中東・北アフリカ地域の各国で本格化した民主化運動のことを、1968年にチェコスロバキアで起きた民主化運動「プラハの春」にならって、**アラブの春**といいます。

56. Obama and Trump

① Barak Obama took office as the 44th U.S. president in January of 2009. ② Obama engaged in health insurance system reform referred to as Obamacare. ③ Furthermore, in 2015, the restoration of diplomatic relations with Cuba was realized for the first time in 54 years. ④ While Obama raised the signing of the TPP（*Trans-Pacific Partnership Agreement）as his policy, the TPP did not get approval from Congress and was not realized during his presidency. ⑤ Donald Trump took office as the 45th U.S. president in January of 2017. ⑥ Trump made an appeal for America First, and he argued that issues within the U.S. were more important than international society. ⑦ Trump, with his nationalistic thinking, withdrew from TPP and the Paris Agreement（international rules for controlling global warming）. ⑧ Trump, in June of 2018 in Singapore,

Barak Obama バラク・オバマ／took office 就任した／as ～として／the 44th U.S. president 第44代アメリカ合衆国大統領／January 1月／engaged in ～に取り組んだ／health insurance 医療保険／system 制度／reform 改革／referred to as ～と呼ばれる／Obamacare オバマケア／Furthermore さらに／the restoration of diplomatic relations 国交正常化（←外交関係の回復）／with ～との／Cuba キューバ／was realized 実現された／for the first time in 54 years 54年ぶりに（←54年で初めて）／While ～した一方／raised ～を掲げた／signing 締結／Trans-Pacific Partnership Agreement 環太平洋地域における経済連携協定（←太平洋を越えた協力協定）／policy 政策／approval 承認／Congress 議会／was not realized 実現されなかった／during ～中に／presidency 大統領の任期／Donald Trump ドナルド・トランプ／the 45th U.S. president 第45代アメリカ合衆国大統領／made an appeal 訴えた／America First アメリカ・ファースト／argued ～を主張した／issues 問題／within ～の中にある／more important より重要な／than ～よりも／international 国際的な／society 社会／with ～で／nationalistic 自国主義的な／thinking 考え方／withdrew 離脱した／the Paris Agreement パリ協定／international 国際的な／rules ルール／for controlling ～を抑えるための／global warming 地球温暖化／June 6月／Singapore シンガポール

＊trans-：「～を越えて」の意の接頭辞

realized the first ever U.S.-North Korea Summit Meeting
史上初の(←今までで初めての) 米朝首脳会談
with North Korea's *Kim Jong-un*.
北朝鮮の　金正恩(キム ジョンウン)

56. オバマとトランプ

①**バラク・オバマ**は、2009年1月、第44代アメリカ合衆国大統領に就任しました。②オバマは、**オバマケア**と呼ばれる医療保険制度改革に取り組みました。③さらに2015年、キューバとの国交正常化を54年ぶりに実現しました。④オバマは、TPP（環太平洋地域における経済連携協定）の締結を政策として掲(かか)げていましたが、議会の承認を得られず、任期中にＴＰＰの締結は実現しませんでした。⑤**ドナルド・トランプ**は、第45代アメリカ合衆国大統領として、2017年1月に就任しました。⑥トランプは、**アメリカ・ファースト**を訴え、国際社会のことよりもアメリカ国内のことが重要であると主張しました。⑦トランプは、自国優先の考えから、**TPP**や**パリ協定**（温暖化対策の国際ルール）から離脱しました。⑧トランプは、2018年6月シンガポールで、北朝鮮の**金正恩**(キムジョンウン)と史上初の米朝首脳会談を実現させました。

57. Britain's Exit from the EU

① In June of 2016, Britain held a referendum on the
6月 イギリス ～を行なった 国民投票

question of leaving the European Union. ② The poll
～を問う ～を去ること EU（←欧州連合） 投票

results were *51.9% in favor of exiting and 48.1% in
結果 ～に賛成の 退場すること

favor of remaining. ③ Behind Britain's seeking to exit
とどまること ～の後ろには ～しようとすること

the European Union was Britain's inability to trade
～することができないこと 貿易する

independently and issues with immigrants coming
独立して 問題 ～に関する 移民 来ること

to Britain from within the European Union. ④ Prime
～の中から

Minister Cameron, who was in favor of remaining in
キャメロン首相

the European Union, resigned and Prime Minister
辞任した メイ首相

May, who advocated exiting the European Union, took
～を主張した 就任した

office in July of 2016. ⑤ On March 29th, 2017, Prime
7月 3月29日

Minister May announced that Britain would be exiting
～を通告した ～するつもりである

the European Union. ⑥ However, the parliament voted
しかし 議会 ～を否決した

down draft withdrawal agreements three times.
離脱協定案（←脱退の協定の草稿） 3度

⑦ In December of 2019, a general election was held to
12月 総選挙（←全体的な選挙） 行なわれた

decide whether Britain would exit the European Union;
～を決めるために ～かどうか

＊51.9%：英語で音読ないし表記すると、fifty-one point nine percent です。

the Conservative Party led by exit-advocate Johnson
保守党 〜に率いられた 離脱を主張する ジョンソン

won by a wide margin and took office as a new prime
勝った かなりの差で 〜として 新しい

minister. ⑧ On January 31st, 2020 at 11pm, Britain at
1月31日 午後11時

last exited the European Union, which it had been a
ついに 〜であり続けてきた

member of for 47 years.
〜の一員 47年間

57. イギリスのEU離脱

①2016年6月、イギリスで**EU離脱**を問う**国民投票**が行なわれました。②開票の結果、離脱支持派が51.9%、残留支持派が48.1%という結果となりました。③イギリスがEU離脱を求めた背景には、イギリス独自で貿易ができないことや、EU内を移動してイギリスに来る移民の問題がありました。④EU残留派のキャメロン首相は辞任し、2016年7月にEU離脱を主張した**メイ首相**が就任しました。⑤2017年3月29日、メイ首相はEUに離脱を通告しました。⑥しかし、議会は3度にわたり、離脱協定案を否決しました。⑦2019年12月、EU離脱の是非（ぜひ）を問う総選挙が行なわれ、EU離脱派の**ジョンソン**率いる保守党が大勝し、新しい首相に就任しました。⑧イギリスは2020年1月31日午後11時、47年間加盟していたEUをついに離脱しました。

58. The Rise of GAFA

① In recent years, GAFA(ガーファ) has held great influence
近年 ～を持っている 大きな 影響力

throughout the world. ② GAFA is an *acronym(アクロニム) of four
～中で 世界 頭字語

major IT companies in the U.S.: Google, Apple, Facebook,
大手の 会社 アメリカ グーグル アップル フェイスブック

Amazon. ③ GAFA are not just major companies in the
アマゾン 単なる

IT industry, they are also promoting big innovations in
業界 ～も推進している 変革

society. ④ By providing various spaces for business in
社会 ～を提供することによって さまざまな 場 ビジネス

the IT field and using the personal information collected
分野 ～を…として活用すること 個人の 情報 集められた

as big data, they have the advantage over their rival
データ 優位な立場にある ～に対して 競合する

companies. ⑤ Google operates the world's largest search
～を運営する 世界最大の 検索エンジン

engine. ⑥ It uses data to analyze users' search history and
～を解析する 利用者の 検索履歴

show advertisements that match the users' tastes. ⑦ Apple
～を見せる 広告 ～に合う 嗜好

was established by Steve Jobs and has released such
創業された スティーブ・ジョブズによって ～を販売してきた …などの～

products as the Mac, iPhone and iPad to the world. ⑧ It
製品

is a leading technology company that mainly develops
代表的な テクノロジー 主に ～を開発する

mobile devices and hardware. ⑨ Facebook provides a
モバイル端末 ハードウェア

worldwide social networking service. ⑩ Instagram is also
世界的な SNS(←社会的なつながりのサービス) インスタグラム

＊acronym：頭字語(とうじご)（複数の語の頭文字をつなげて作った単語）

under its umbrella.[11] Amazon is a mail-order company
傘下に　通販
that revolutionized the retail industry.[12] It is also engaged
〜に革命を起こした　小売　〜にも取り組んでいる
in developing artificial intelligence Alexa as well as music
人工知能　アレクサ　同じく〜も
and video streaming businesses.
動画　配信

58. GAFAの台頭

①近年、GAFA（ガーファ）は世界的に大きな影響力を持っています。②GAFAとは、グーグル、アップル、フェイスブック、アマゾンのアメリカIT大手4社の頭文字（かしらもじ）を並べた言葉です。③GAFAは、単なるIT業界での大企業というだけではなく、社会の大きな変革を推進しました。④IT分野でビジネスの場を広く提供し、集めた個人情報などをビッグデータとして活用し、競合他社より優位に立っています。⑤**グーグル**は、世界最大の検索エンジンを運営しています。⑥利用者の検索履歴を解析して、嗜好（しこう）に合った広告を表示するといったデータ活用を進めています。⑦**アップル**はスティーブ・ジョブズが創業し、Mac、iPhone、iPadなどの製品を世に送り出しました。⑧モバイル端末やハードウェアの開発を中心としたテクノロジー企業の代表です。⑨**フェイスブック**は世界的なSNSサービスを提供しています。⑩インスタグラムも傘下（さんか）に収（おさ）めています。⑪**アマゾン**は、小売業界に革命を起こした通販会社です。⑫人工知能アレクサの開発や、音楽や動画の配信事業も手がけています。

※ このテーマは、時系列としては、53.The Gulf War（湾岸戦争）と
54.Lehman Shock（リーマンショック）の間に入る内容のものです。

59. The U.S.*terrorist attacks and the Iraq war（アメリカ同時多発テロとイラク戦争）

On September 11, 2001, terrorists attacked the United States.
2001年9月11日、アメリカ同時多発テロ事件が発生しました。

The terrorists were attacking the bases of the American government, economy, and military system.
アメリカの政治、経済、軍事の拠点を狙ったテロでした。

The U.S. Government blamed extreme fundamentalist Islamic groups.
アメリカ政府はイスラム原理主義過激派組織のしわざと断定しました。

The U.S. Attacked the Taliban regime in Afghanistan for protecting these groups.
彼らをかくまうアフガニスタンのタリバン政権を攻撃しました。

*「同時多発テロ」は、説明的には「simultaneous terrorist attacks」といいますが、通常は「terrorist attacks」で表現されます。

President Bush condemned Iraq, Iran, and North Korea.
ブッシュ大統領は、イラク、イラン、北朝鮮を非難しました。

The development of weapons of mass destruction was the reason given for the attacks on Iraq.
大量破壊兵器を開発していることがイラク攻撃の理由でした。

In March of 2003, the United States along with Britain began bombing Iraq.
2003年3月、アメリカはイギリスらとともに、イラクを空爆しました。

In about one month, Iraq was brought under control, and President Hussein was captured.
1カ月ほどでイラクは制圧され、フセイン大統領はとらえられました。

Iraq was occupied by mainly U.S. and British forces.
イラクは、米英軍を中心に占領統治されました。

The Japanese Self-Defense Forces were sent to help with reconstruction.
日本からも復興支援のため自衛隊が派遣されました。

In June of 2004, the interim government was given sovereignty.
2004 年 6 月には暫定政権に主権が渡されました。

Elections were held in 2005, forming the official government.
2005 年には選挙が実施され、正式な政府が誕生しました。

Part 2

The History of the East

第 2 編

東洋史

Chapter 1

From the Indian and Chinese Civilizations to the *Ming* and *Qing* Dynasties

第 1 章

インドと中国の文明～明・清の時代

年表 Ⅲ

紀元前	About 2300 BC 紀元前2300年ころ	The Indus Valley Civilization is started. インダス文明が起こる	→ P.144
2000年	About 17th century BC 紀元前17世紀ころ	The *Yin* Dynasty is established in China. 中国で殷が成立する	→ P.150
1000年	About 11th century BC 紀元前11世紀ころ	The *Zhou* Dynasty is established in China. 中国で周が成立する	→ P.150
	770 BC 紀元前770	The Spring and Autumn Period starts in China. (～403 BC) 中国で春秋時代が始まる（～紀元前403）	→ P.150
500年	5th century BC 紀元前5世紀	Buddhism is started. 仏教が開かれる	→ P.146
400年	403 BC 紀元前403	The Warring States Period starts in China. (～221 BC) 中国で戦国時代が始まる（～紀元前221）	→ P.151
300年	Around 317 BC 紀元前317ころ	The Maurya Empire is established and India is unified. マウリア朝が成立し、インドが統一される	→ P.144
	221 BC 紀元前221	The *Qin* unifies China. (～206 BC) 秦が中国を統一する（～紀元前206）	→ P.152
200年 紀元前(BC)	202 BC 紀元前202	The *Han* (former *Han*) Dynasty is established. (～8 AD) 漢（前漢）が建国される（～紀元後８）	→ P.152
紀元後(AD)	8	The *Xin* Dynasty is established. (～23) 新が建国される（～23）	→ P.153
	25	The *Han* (later *Han*) Dynasty is established. (～220) 後漢が建国される（～220）	→ P.153
200	184	The Yellow Turban Rebellion occurs. 黄巾の乱が起こる	→ P.154
	220	The later *Han* Dynasty is destroyed and three separate kingdoms of *Wei*, *Wu* and *Shu* are formed. 後漢が滅び、魏呉蜀の三国が分立する	→ P.154
	265	The *Wei* Kingdom is destroyed and the *Jin* Dynasty is established. 魏が滅び、晋が建国される	→ P.154
	280	The *Wu* Kingdom is destroyed and the *Jin* Dynasty unifies China. (～316) 呉が滅び、晋が中国を統一する（～316）	→ P.155
	304	The Period of Sixteen Kingdoms starts. (～439) 五胡十六国時代が始まる（～439）	→ P.155
400	420	The *Liu Song* Kingdom unifies the *Jiangnan* area and the Southern Dynasty is formed. 宋が江南を統一し、南朝が成立する	→ P.156
	439	The northern *Wei* Kingdom unifies nothern China and the Northern Dynasty is formed. 北魏が華北を統一し、北朝が成立する	→ P.156

600	589	The *Sui* Dynasty is established and the Northern and Sothern Dynasties are unified. (~618) 隋が建国され、南北朝が統一される（～618）	P.156
	618	The *Tang* Dynasty is founded. (～907) 唐が建国される（～907）	P.156
800	755	The *An Shi* Rebellion occurs. (～763) 安史の乱が起こる（～763）	P.158
	907	The *Tang* Dynasty is destroyed and the Five Dynasties and Ten Kingdoms Period starts. (~979) 唐が滅び、五代十国時代が始まる（～979）	P.158
	916	The *Liao* Dynasty is established. (～1125) 遼が建国される（～1125）	P.158
1000	960	The *Song* (northern *Song*) Dynasty is established. (～1127) 宋（北宋）が建国される（～1127）	P.158
	1038	The Western *Xia* is established. (～1227) 西夏が建国される（～1227）	P.158
	1115	The *Jin* is established. (～1234) 金が建国される（～1234）	P.159
	1126	The *Jingkang* Incident occurs. (～1127) 靖康の変が起こる（～1127）	P.159
	1127	The southern *Song* Dynasty is established. 南宋が建国される	P.159
1200	1206	*Genghis Khan* takes the throne. チンギス＝ハンが即位する	P.160
	1271	The *Yuan* Dynasty is established. (～1368) 元が建国される（～1368）	P.160
	1299	The Ottoman Empire is established. (～1922) オスマン帝国が成立する（～1922）	P.166
	1351	The Red Turban Rebellion occurs. (～1366) 紅巾の乱が起こる（～1366）	P.162
1400	1368	The *Ming* Dynasty is established. (～1644) 明が建国される（～1644）	P.162
	1453	The Ottoman forces destroys the Byzantine Empire. オスマン軍がビザンツ帝国を滅ぼす	P.166
	1520	Suleiman I takes over the throne. (～1566) スレイマン１世が即位する（～1566）	P.166
	1526	The Mughal Empire is established. (～1858) ムガル帝国が成立する（～1858）	P.168
1600	1616	The later *Jin* (*Qing*) Dynasty is established. (～1912) 後金（清）が建国される（～1912）	P.164
	1673	The Revolt of the Three Feudatories occurs. (～1681) 三藩の乱が起こる（～1681）	P.165

1. Indian Civilization

①The Indus Valley Civilization was started near the
インダス文明　インダス川流域に
Indus River around 2300 BC. ②Cities of brick buildings
紀元前2300年ごろ　煉瓦づくりの都市
have been found in the ruins of *Mohenjo-daro* and
発見されている　モエンジョ＝ダーロやハラッパーの遺跡
Harappa.

③Around 1500 BC, the Aryans invaded the northwest
アーリヤ人　～に侵入した　西北部
part of India. ④The Aryans formed an agrarian society,
インド　～を形成した　定住農耕社会
and the varna system was born.
ヴァルナ制
⑤The varna system divided citizens into four groups,
～を一に分けた　市民
brahmana (priests), *kshatriya* (warriors), *vaishya*
バラモン（司祭）　クシャトリヤ（武士）　ヴァイシャ（農民と商人）
(farmers and merchants), and *shudora* (slaves).
シュードラ（隷属民）
⑥The varna system was a strict class system with
厳しい身分制度
brahmana at the top, which later became the caste
のちに　カースト制度
system.

⑦India was unified under King Chandragupta of the
統一された　チャンドラグプタ王
Maurya Empire in the 4th century BC. ⑧Maurya was
マウリヤ朝
the first unifying empire of India and reached its peak
統一国家　最盛期を迎えた

during the leadership of *Ashoka*.

アショーカ王の指揮のときに

1. インド文明

①紀元前2300年ごろ、インダス川流域に**インダス文明**が起こりました。②**モエンジョ＝ダーロ**や**ハラッパー**の遺跡では、煉瓦(れんが)づくりの都市が発見されています。

③紀元前1500年ごろから、インド西北部に**アーリヤ人**が侵入しました。④アーリヤ人は、定住農耕社会を形成し、**ヴァルナ制**が生まれました。⑤ヴァルナ制とは、市民を**バラモン**(司祭)、**クシャトリヤ**（武士)、**ヴァイシャ**（農民と商人)、**シュードラ**(隷属民(れいぞくみん)) の四つの身分に分けた身分制度でした。⑥ヴァルナ制は、バラモンを頂点とする厳しい身分制度であり、のちに**カースト制度**となりました。

⑦紀元前4世紀、インドは**マウリヤ朝**の**チャンドラグプタ**王のもとで統一されました。⑧マウリア朝は、インド最初の統一国家で、**アショーカ**王の指揮のときに最盛期を迎えました。

2. Buddhism and Hinduism

ブディズム
①Buddhism was started by Gautama Siddhartha
仏教　ガウタマ・シッダールタ（尊称ブッダ）
(Buddha). ②He felt it was important for people to solve
重視した　人々の悩みを解決すること
their problems in their minds. ③*Ashoka* of the Maurya
心の内側から　マウリヤ朝のアショーカ王
Empire became a Buddhist and gave up armed conquest.
仏教徒　武力による征服
④Buddhist scriptures were made, and Buddhism was
仏典を編纂した　仏教を布教した
spread throughout the land.
各地へ
パッバッジャ
⑤In Buddhism, believers who undergo *pabbajja* perform
出家をした者（←出家を経験した信者）　厳しい修行をした
severe training for their own salvation. ⑥The Mahayana
自らの救いを求めて　大乗仏教
sect came out of them, seeking salvation of everyone.
現れた　あらゆる人々の救いを求める
⑦The faith of Buddhist saints spread, that teaches not
菩薩信仰　広まった
only self-training but also salvation of all life, and
自己の修行　衆生救済
Buddha statues began to be made and worshiped.
仏像　つくられ信仰されるようになった
⑧Mahayana Buddhism, together with the Buddhist arts
大乗仏教　～とともに　仏教美術
mainly of Gandhara, had an impact on the countries of
ガンダーラ　～に影響を与えた
Central Asia, China, and Japan.
中央アジア　中国
⑨The Gupta Empire rose to power in India around the
グプタ朝　支配した　インド

4th century. ⑩Around this time, Hinduism became
4世紀　このころ　ヒンドゥー教　定着した
established among people. ⑪In the Hindu faith believers
ヒンドゥー教(←ヒンドゥーの信仰)
worship many gods including Shiva and Vishnu, and it
たくさんの神々を信仰する　～など　シヴァ神　ヴィシュヌ神
is still worshiped today by many Indians.
今日でもたくさんのインドの人々が信仰している

2. 仏教とヒンドゥー教

①仏教は、**ガウタマ＝シッダールタ**（尊称ブッダ）が開きました。②彼は、心の内側から人々の悩みを解決することを重視しました。③**マウリヤ朝**の**アショーカ王**は仏教徒となり、武力による征服をやめました。④仏典を編纂（へんさん）し、各地へ仏教を布教しました。

⑤仏教は、出家した者が厳しい修行を行ない、自らの救いを求めるものでした。⑥その中から、あらゆる人々の救いを求める**大乗**（だいじょう）**仏教**が起こりました。⑦自己の修行だけでなく、衆生（しゅじょう）救済に努める菩薩（ぼさつ）への信仰（**菩薩信仰**）が広がり、**仏像**がつくられ、信仰されるようになりました。⑧大乗仏教は、**ガンダーラ**を中心とする仏教美術とともに、中央アジア・中国・日本に影響を与えました。

⑨４世紀ころ、**グプタ朝**がインドを支配しました。⑩このころ、人々の間に**ヒンドゥー教**が定着しました。⑪ヒンドゥー教は、**シヴァ神**や**ヴィシュヌ神**など、たくさんの神々を信仰する多神教で、今日でもたくさんのインドの人々が信仰しています。

3. Chinese Civilization

① In China, farming had begun before the year 6000 BC in the Yangtze and Yellow River basins.

農耕が始まっていた　紀元前6000年までに　ヤンスィ　長江と黄河の流域

② Grains, such as millets, were grown in the Yellow River basin, while mostly rice was grown in the Yangtze River basin.

アワなどの雑穀　黄河流域　主に　長江流域

③ *Yangshao* culture came from the Yellow River region and the painted pottery was used there.

ヤンシャオ　仰韶文化　彩文土器（彩陶）

④ It has been found that, around the same time, villages in the Yangtze River basin had man-made rice fields.

～ということが判明している　人工的な水田施設

⑤ After that, black pottery was used by the *Longshan* culture which grew mainly in the lower Yellow River region.

ロンシャン　黒陶　竜山文化　黄河下流域を中心に

⑥ As people from different regions would interact, fighting broke out.

～につれて　地域　交流が進む　争いが起こった

⑦ In each region a political union was promoted.

政治的な統合　促された

⑧ Walled cities were built from the middle to lower

城壁で囲まれた都市　黄河中流から下流域にかけて

Yellow River regions.

3. 中国文明

①中国では、紀元前6000年までに、長江と黄河の流域で農耕が始まっていました。②黄河流域ではアワなどの雑穀が栽培され、長江流域では主に稲が栽培されていました。
③黄河中流域からは、仰韶**文化**が誕生し、**彩文土器**（彩陶）が使われました。④同じころ、長江流域でも人工的な水田施設を持つ集落があったことが明らかになっています。
⑤その後、黄河下流域を中心に竜山**文化**が生まれ、黒陶が使われました。
⑥さまざまな地域の人々の交流が進むにつれて、争いが起こりました。⑦それぞれの地域では、政治的な統合が促されました。
⑧黄河中流から下流域にかけて、城壁で囲まれた都市が建設されるようになりました。

4. The Yin Dynasty, Zhou Dynasty, Spring and Autumn Period, and Warring States Period

①Around the 17th century BC, the *Yin* (イン) Dynasty was established in Northern China. ②The *Yin* king worshiped a god and fortune telling was used to make political decisions.

紀元前17世紀ごろ／殷／成立した／華北／殷の王／神を崇拝した／占い／政治的な判断をするために

③Around the 11th century BC, the *Zhou* (チョウ) Dynasty destroyed the *Yin* Dynasty. ④The king of the *Zhou* Dynasty divided cities among the family members and the followers who did great things and hereditarily made them rule the farmers as feudal lords. ⑤Feudal lords also had the obligation of military and tribute service (feudal system).

紀元前11世紀ごろ／周／～を滅ぼした／諸邑を分封した／一族・功臣／世襲的に支配させた／農民／諸侯／義務／軍役と貢納／（封建制度）

⑥Near the 8th century BC, the *Zhou* Dynasty began losing power, and a lot of groups began fighting. ⑦This period of time is called the Spring and Autumn Period. ⑧Since the 4th century BC, these powers had developed into seven countries. ⑨This is called the Warring States

紀元前8世紀ごろ／勢力を失い始めた／時代／春秋時代／紀元前4世紀以降になると／国々／～へとまとまっていった／戦国時代

Period. ⑩ During the Spring and Autumn Period and the Warring States Period, the spread of iron farming tools and bronze coins helped farming, commerce, and industry develop.

普及　鉄製の農具　青銅製の貨幣　農業　商業　工業　発達する

4. 殷と周・春秋戦国時代

①紀元前17世紀ごろ、華北に殷（いん）が成立しました。②殷の王は神を崇拝し、占いによって政治を行ないました。

③紀元前11世紀ごろ、**周**が殷を滅ぼしました。④周王は、一族・功臣（こうしん）に諸邑（しょゆう）を分封（ぶんぽう）して諸侯とし、農民を世襲的に支配させました。⑤また、諸侯は周王に軍役（ぐんえき）と貢納（こうのう）の義務を負いました（封建（ほうけん）制度）。

⑥紀元前8世紀ごろ、周の勢力が弱まると、多数の国々が争い始めました。⑦この時代を春秋（しゅんじゅう）**時代**といいます。⑧紀元前4世紀以降になると、これらの国々は7つの強国へとまとまっていきました。⑨この時代を**戦国時代**といいます。⑩春秋・戦国時代には、鉄製の農具や青銅製の貨幣が普及し、農業や商工業が発達しました。

5. *Qin* and *Han* Unifications

チン
①The *Qin* unified China in the year 221 BC. ②The *Qin*
秦　中国を統一した　紀元前221年　秦王の政

ツェン　チン　シー　フゥアン
emperor *Zheng* was named "*Qin Shi Huang*." ③*Qin Shi*
～と名乗った　始皇帝

Huang carried out a local government system, and sent
～を施行した　郡県制

officials to each region. ④The walls of various places
官吏　地方　各地の長城

were restored and connected (the Great Wall of China) to
修築し連結した　万里の長城

シィオンヌー
prepare for the invading *Xiongnu*. ⑤Books were burned,
匈奴の侵入に備えるため　焚書が行なわれた(←本が焼かれた)

and scholars were buried alive to control information.
坑儒が行なわれた(←学者が生き埋めにされた)　思想を統制するために

⑥After the death of *Qin Shi Huang*, revolt throughout
始皇帝の死後　地域中に起こった反乱

シィアン　ユー
the region destroyed the *Qin* Dynasty. ⑦*Xiang Yu* of the
～を滅ぼした　項羽

チュ　リィウ　パン
noble family of *Chu* and *Liu Pang*, who was from
楚の名門出身の　劉邦　庶民出身で民衆を率いた

a peasant family and had led people, came to power.
力をつけた

⑧*Liu Pang* defeated *Xiang Yu*, unifying China and
～を破った　中国を統一した

ハーン
establishing the *Han* (former *Han*) Dynasty. ⑨During
～をたてた　漢(前漢)

ウー
his reign, Emperor *Wu* sent troops around to increase
武帝　軍隊　周辺に　領土を広げた

the size of the empire. ⑩After the death of Emperor
武帝の死後

Wu, his close advisers made up of his maternal
側近　～からなる　外戚や宦官

relatives and eunuchs(ユーナックス) fought over to take the throne.(権力をめぐって争った)

⑪A relative *Wang Mang*(ワンマン／王莽) defeated the *Han* Dynasty establishing the *Xin*(シン／新) Dynasty. ⑫A rebellion called the(赤眉の乱と呼ばれる反乱) *Chimei*(チーメイ) Rebellion brought an end to the *Xin* Dynasty.(新が滅んだ)

⑬Later,(その後) Emperor *Guangwu*(グヮァンウー／光武帝) reestablished(〜を復興した) the *Han* (later *Han*) Dynasty.(漢(後漢))

5. 秦・漢の統一

①紀元前221年、秦(しん)が中国を統一しました。②秦王の政(せい)は、「始皇帝(しこうてい)」と名乗りました。③始皇帝は**郡県制**を施行し、それぞれの地方に官吏(かんり)を派遣しました。④匈奴(きょうど)の侵入に備えるため、各地の長城を修築、連結しました（**万里の長城**(ばんりのちょうじょう)）。⑤思想を統制するために焚書(ふんしょ)・坑儒(こうじゅ)が行なわれました。⑥始皇帝の死後、各地で反乱が起こり、秦は滅びました。⑦楚(そ)の名門出身の項羽(こうう)と、庶民出身で民衆を率いた劉邦(りゅうほう)とが力を伸ばしました。
⑧劉邦は項羽を破って中国を統一し、**漢**（**前漢**）をたてました。
⑨**武帝**の時代には、周辺に兵を派遣して領土を広げました。
⑩武帝の死後、彼の側近の外戚(がいせき)や宦官(かんがん)が、権力をめぐって争いました。⑪外戚の王莽(おうもう)が漢を滅ぼして**新**をたてました。⑫**赤眉(せきび)の乱**と呼ばれる反乱が起こり、新は滅びました。⑬その後、光武帝(こうぶてい)が**漢**(**後漢**)を復興しました。

6. The Three Kingdoms Period and Sixteen Kingdoms Period

① After the rebellion called the Yellow Turban Rebellion,
黄巾の乱と呼ばれる反乱
powerful families around the country began struggling for
各地の豪族　勢力争いを始めた
power. ② *Cao Cao*, who controlled northern China, sent
ツァオ ツァオ
曹操　華北を制覇した　兵を挙げた
troops in to defeat *Sun Quan* of *Jiangnan*. ③ However,
スン チュエン　ジィアンナン
～を倒そうと　孫権　江南　しかし
they were defeated by the combined forces of *Sun Quan*
～に敗れた　連合軍
and *Liu Bei* at the Battle of Red Cliffs. ④ *Cao Pi*, the son
リィウ ベイ　ツァオ ピー
劉備　赤壁の戦い　曹丕
of *Cao Cao*, forced the emperor of the later *Han* Dynasty
～に一させた　皇帝　後漢
to give up the imperial title, which led to its destruction,
位を譲る　それによって後漢は滅亡した
establishing the *Wei* Kingdom. ⑤ *Liu Bei* formed the
ウェイ
～をたてた　魏　～をたてた
Shu Kingdom in *Sichuan*, and *San Quan* formed the *Wu*
シュ　サチュアーン　ウー
蜀　四川　呉
Kingdom in *Jiangnan*. ⑥ This divided China into three
中国は三国に分かれた
separate kingdoms, the *Wei*, *Wu* and *Shu*. ⑦ This period
時代
of time is called the Three Kingdoms Period.
三国時代

⑧ The *Wei* Kingdom was the dominate of the three. ⑨ The
優勢だった
Wei destroyed the *Shu*, and the *Wei* general *Sima Yan*
スーマー イェン
魏の将軍　司馬炎
established the *Jin* Dynasty. ⑩ Eventually the *Jin*
ジン
晋　やがて

Dynasty destroyed the *Wu* Kingdom, unifying China.
中国を統一した

⑪After the death of *Sima Yan*, the family members
司馬炎の死後　一族

fought for the imperial title in the War of the Eight
帝位をめぐって争った　八王の乱

Princes. ⑫A nomadic people called *Wu Hu* (ウー フー) invaded,
五胡と呼ばれる遊牧諸民族が侵入した

ending the *Jin* Dynasty. ⑬After that, northern China lay
華北

in ruins as a lot of governments sprung up. ⑭This time
多くの政権が誕生しては滅びていった

is known as the Period of Sixteen Kingdoms.
五胡十六国時代

6. 三国時代・五胡十六国時代

①黄巾(こうきん)の乱と呼ばれる反乱が起こると、各地の豪族が勢力争いを始めました。②華北を制覇した曹操(そうそう)は、江南(こうなん)の孫権(そんけん)を倒そうと兵を挙(あ)げました。③しかし、孫権・劉備(りゅうび)の連合軍に赤壁(せきへき)の戦いで敗れました。④曹操の子・曹丕(そうひ)は、後漢の皇帝に位を譲(ゆず)らせて後漢は滅亡し、華北に魏(ぎ)をたてました。⑤劉備は四川(しせん)に蜀(しょく)を、孫権は江南に呉(ご)をたてました。⑥この結果、中国は魏・呉・蜀の三国に分かれました。⑦この時代を三国時代といいます。

⑧三国の中では魏が優勢でした。⑨魏は蜀を滅ぼし、魏の将軍司馬炎(しばえん)は晋(しん)をたてました。⑩やがて、晋は呉を滅ぼして、中国を統一しました。

⑪司馬炎の死後、帝位をめぐって一族が争う八王(はちおう)の乱が起きました。⑫五胡(ごこ)と呼ばれる遊牧諸民族が侵入し、晋を滅ぼしました。⑬その後、華北では多くの政権が誕生しては滅びていきました。⑭この時代を、五胡十六国時代といいます。

7. The *Sui* and *Tang* Unifications

ウェイ
①In the first half of the 5th century, the northern *Wei*
5世紀前半 北魏
リィウ ソン
Kingdom unified northern China, and the *Liu Song*
華北を統一した 宋
ジィアンナン
Kingdom the *Jiangnan* area. ②With dynasties in the
江南 南北に王朝が並立した
north and south, this period is called the Southern and
時代 南北朝時代
Northern Dynasties Period.

ウェン ヤン ジィェン スイ
③In 581, Emperor *Wen* (*Yang Jian*) established the *Sui*
文帝（楊堅） ～を建国した 隋
Dynasty, unifying the north and south in 589. ④Emperor
～を統一した
Wen adopted an imperial examination for the selection
～を採用した 科挙制
of government officials through exams. ⑤Emperor *Wen's*
官吏 試験によって
ヤン
son Emperor *Yang* built a large canal connecting the
煬帝 華北と江南を結ぶ大運河
コグリョ
north and south. ⑥Troops were sent to *Goguryeo* three
高句麗に遠征した
times, only to fail. ⑦Rebellion throughout the land led
失敗しただけだった 反乱 各地で起きた
to the downfall of the *Sui* Dynasty.
滅亡

リー ユエン タン
⑧In 618, *Li Yuan* founded the *Tang* Dynasty. ⑨The
李淵 ～を建国した 唐
capital of *Chang'an* had wide streets in the shape of a
首都の長安 碁盤の目のように
grid. ⑩The *ritsuryo* legal codes were prepared, the
律令を整えた

equal-field system was put in place, and the tax system
均田制を採り入れた　租・庸・調の税制
of *So* (tax on grain), *Yo* (labor on the central government) and *Cho* (such as silk) was adopted. ⑪ Japan sent missions to the *Sui* Dynasty (*Kenzui-shi*) and to the
遣隋使・遣唐使
Tang Dynasty (*Kento-shi*) to learn more about their political system and culture.
政治の制度や文化

7. 隋・唐の統一

①5世紀前半に、北魏(ほくぎ)が華北を、宋(そう)が江南を統一しました。②南北に王朝が並立した時代を**南北朝時代**(なんぼくちょう)といいます。
③581年に文帝(ぶんてい)（楊堅(ようけん)）が隋(ずい)を建国し、589年に南北朝を統一しました。④文帝は、試験によって官吏(かんり)を採用する**科挙制**(かきょ)を採用しました。⑤文帝の子・煬帝(ようだい)は、華北と江南を結ぶ大運河を建設しました。⑥三度にわたり高句麗(こうくり)に遠征しましたが、失敗しました。⑦各地で反乱が起き、隋は滅亡しました。
⑧618年に、李淵(りえん)が唐を建国しました。⑨首都の**長安**は、広い道路によって碁盤(ごばん)の目のように区画されました。⑩律令(りつりょう)を整え、**均田制**を採り入れ、租(そ)（田税）・庸(よう)（中央政府の労役）・調(ちょう)（絹など）の税制を採用しました。⑪日本は、中国の政治制度や文化を吸収するために、遣隋使(けんずいし)・遣唐使(けんとうし)を送りました。

8. The Unification of *Song*

タン　シュエンゾン
① In the later years of *Tang* Emperor *Xuanzong's* life, he
晩年　唐の皇帝玄宗

ヤン　グゥイフェイ
became quite fond of *Yang Guifei*, and *Yang Guifei's*
～を寵愛した　楊貴妃

family came to have great power. ② In reaction to this, a
実権を握るようになった　これに反発して

ジェドゥシー　アン　ルーシャン　アン　シー
Jiedushi An Lushan revolted (the *An Shi* Rebellion).
節度使　安禄山　反乱を起こした　(安史の乱)

③ The rebellion was put down, but the *Tang* Dynasty was
反乱は鎮圧された

チュ　チュェンチョン
weakened and was finally destroyed by *Zhu Quanzhong*
衰えた　滅ぼされた　朱全忠(後梁の太祖)

タイズー　リィアン
(*Taizu* of Later *Liang*) in 907. ④ For the next half of a
以後半世紀の間に

century, five different dynasties ruled northern China.
王朝　支配した　華北

⑤ In other regions, about ten nations rose and fell. ⑥ This
地方　興亡した

is known as the Five Dynasties and Ten Kingdoms Period.
五代十国時代

ヂャオ　クゥアンイン
⑦ In the year 960, *Zhao Kuangyin* (Emperor *Taizu*)
趙匡胤(太祖)

ソン
established the *Song* (northern *Song*) Dynasty, and the
～を建国した　宋(北宋)

タイゾン
second emperor *Taizong* unified all of China. ⑧ The
皇帝　太宗　中国全土を統一した

northern *Song* were troubled with the pressure by
～に悩まされた　圧迫

キタン　リィアウ
northern peoples including the *Khitan people* (*Liao*
北方民族　契丹　(遼)

タングート　シア
Dynasty) and the *Tangut* (the Western *Xia*).
タングート　(西夏)

⑨The *Jin* (ジン／金) from the north gained control over (〜を占領した) northern China, and was able to occupy (〜を攻め落とした) the *Song* capital of *Kaifeng* (カイフォン／宋の都である開封). ⑩This is called the *Jingkang* Incident (ジンカン／靖康の変). ⑪The emperor's brother ran away (逃れた) to *Jiangnan* (ジィァンナン／江南) and established the southern *Song* Dynasty (南宋) there. ⑫The southern *Song* signed an agreement with (〜と和議を結んだ) the *Jin*, giving control of north of the *Huai* River (フゥアイ／淮河より北) to the *Jin*, and south to the southern *Song*.

8. 宋の統一

①唐の皇帝玄宗(げんそう)は晩年、楊貴妃(ようきひ)を寵愛(ちょうあい)し、楊貴妃の一族が実権を握るようになりました。②これに反発する節度使(せつどし)の安禄山(あんろくざん)は反乱を起こしました（**安史**(あんし)**の乱**）。③反乱は鎮圧されましたが、唐の国力は衰(おとろ)え、907年に朱全忠(しゅぜんちゅう)によって滅ぼされました。
④以後、半世紀の間に、華北では五つの王朝が交替しました。
⑤他の地方でも十余りの国が興亡しました。⑥この時代を、**五代十国時代**といいます。
⑦960年に趙匡胤(ちょうきょういん)が**宋**（**北宋**）を建国し、2代皇帝の太宗(たいそう)が中国全土を統一しました。⑧北宋は、契丹(きったん)（遼(りょう)）・タングート（西夏(せいか)）など北方民族の圧迫に悩まされました。
⑨北方におこった金(きん)が華北を占領し、宋の都である開封(かいほう)を攻め落としました。⑩これを**靖康**(せいこう)**の変**といいます。⑪皇帝の弟は江南に逃(のが)れ、**南宋**をたてました。⑫南宋は金と和議を結び、淮河(わいが)より北は金、南は南宋が治(おさ)めました。

9. *Yuan* Control of China

ジェンギス　カーン
① At the beginning of the 13th century, *Genghis Khan*
13 世紀の初め　チンギス＝ハン

began gaining power among the nomadic people of the
勢力を伸ばした　遊牧民族

Mongolian highlands. ② He unified the groups,
モンゴル高原　諸民族を統一した

establishing the Mongol Empire. ③ The forces of *Genghis*
〜をたてた　モンゴル帝国　軍

Khan rode horses west, destroying *Khorazm* in West
西方に遠征した　〜を滅ぼした　ホラズム

Turkestan and Iran. ④ After the death of *Genghis Khan*,
西トルキスタン・イラン　チンギス＝ハンの死後

ジン
Ogotai took the throne and destroyed the *Jin* Empire,
オゴタイ　即位した　金

taking control of northern China. ⑤ *Batu* led forces to
〜を支配した　華北　バトゥ　東ヨーロッパへ遠征した

Eastern Europe, where they defeated the German and
〜を破った　ドイツ・ポーランド連合軍

Polish forces in the Battle of *Wahlstatt*. ⑥ The Mongol
ワールシュタットの戦い

Empire controlled the large territory from northern
〜を支配した　広大な領域

China to Russia and Iran.
ロシア　イラン

クビライ　ダードゥ
⑦ *Khubilai* established the capital in *Dadu* (today's
フビライ　都を置いた　大都(現在の北京)

ベイジン　ユェン
Beijing), changing the name of the country to *Yuan*.
国号を〜に改めた　元

ソン
⑧ They destroyed the southern *Song*, taking control of
南宋を滅ぼした

コリョ
all of China. ⑨ Tibet and *Goryeo* of the Korean Peninsula
チベット　朝鮮半島の高麗

were also put into *Yuan's* daughter nations. ⑩ Forces
属国（←従属する国）とした
were sent to Japan twice, but failed both times (Mongol
日本へ二度遠征した　二度とも失敗した　（元寇）
invasions of Japan). ⑪"Description of the World" ("the
「世界の記述」（東方見聞録）
Travels of Marco Polo") written by the Italian merchant
イタリア商人マルコ＝ポーロ
Marco Polo, who served *Khubilai*, raised people's
〜に仕えた　関心を高めた
interests in Asia.

9. 元の中国支配

①13世紀の初め、モンゴル高原の遊牧民族の中から**チンギス＝ハン**が勢力を伸ばしました。②彼は諸部族を統一して、**モンゴル帝国**をたてました。③チンギス＝ハンの騎馬軍は西方に遠征し、西トルキスタン・イランにあった**ホラズム**を滅ぼしました。
④チンギス＝ハンの死後、**オゴタイ**が即位して**金**を滅ぼし、華北を支配しました。⑤**バトゥ**は東ヨーロッパへ遠征し、**ワールシュタットの戦い**でドイツ・ポーランド連合軍を破りました。
⑥モンゴル帝国は、中国北部からロシア・イランにいたる広大な領域を支配しました。
⑦**フビライ**は、都を大都（だいと）（現在の北京）に置き、国号を元（げん）に改めました。⑧彼らは南宋を滅ぼし、中国全土を支配しました。
⑨チベットや朝鮮半島の高麗（こうらい）も属国としました。⑩日本へも二度遠征しましたが、二度とも失敗しました（元寇（げんこう））。⑪フビライに仕（つか）えたイタリア商人**マルコ＝ポーロ**の『**世界の記述**』（『**東方見聞録**』）は、アジアへの関心を高めました。

10. *Ming* Unification

①Continued famine during the 14th century weakened
続いた飢饉　14世紀　元の支配力は衰えた
the *Yuan* (ユェン) Dyanasty's grip on power. ②The Red Turban
紅巾の乱
Rebellion triggered rebellion in other regions. ③Among
各地で反乱が起きた
the confusion, the former farmer *Zhu Yuanzhang* (ヂュ ユェンヂャン) stood
混乱　元農民の朱元璋　頭角を現した
out. ④He established the *Ming* (ミン) Dynasty in 1368, assumed
～を建国した　明　即位した
the throne and became Emperor *Hongwu* (ホンウー). ⑤The former
洪武帝　元の皇室
Yuan Imperial Household was forced into exile in the
追われた
Mongolian highlands by the *Ming* Dynasty, that
モンゴル高原
established the capital in *Nanjing* (ナンジン), unifying China.
都を置いた　南京　中国を統一した
⑥Emperor *Hongwu's* son Emperor *Yongle* (ヨンラ) moved the
永楽帝
capital to *Beijing* (ベイジン). ⑦He led the army to Mongolia and
北京　遠征した　モンゴル
Vietnam. ⑧He also sent *Zheng He* (ヂォン ファ) to the Indian Ocean
ベトナム　鄭和　インド洋
and the coast of Africa. ⑨Because of this, many
アフリカ沿岸
countries paid money and goods to the *Ming* Dynasty.
～に朝貢した
⑩*Ryukyu* (now Okinawa) became a daughter nation of
琉球　明から冊封を受けた（←明の属国となった）
Ming and flourished through intermediary trade with
栄えた　中継貿易

China, Japan, Korea and countries of Southeast Asia.
朝鮮　東南アジア
⑪As for Japan, *Ashikaga Yoshimitsu* of the *Muromachi*
〜については　足利義満　室町幕府
Shogunate was recognized by the *Ming* Dynasty as the
認められた
King of Japan and they did *Kango* trade (licensed trade
勘合貿易
using authorized tallies).

10. 明の統一

①14世紀には、飢饉（ききん）が続き、元の支配力は衰えました。②紅巾（こうきん）の乱をきっかけに各地で反乱が起きました。③混乱の中、元農民の朱元璋（しゅげんしょう）が頭角を現しました。④彼は、1368年に明（みん）を建国し、即位して洪武帝（こうぶてい）となりました。⑤明に追われた元の皇室はモンゴル高原に退（しりぞ）き、明は南京（なんきん）に都を置いて中国を統一しました。⑥洪武帝の子の永楽帝（えいらくてい）は、都を北京（ぺきん）に移しました。⑦彼はモンゴルやベトナムへ遠征しました。⑧彼はまた、鄭和（ていわ）をインド洋やアフリカ沿岸へ遠征させました。⑨これにより、多くの国が明に朝貢（ちょうこう）しました。⑩琉球（現在の沖縄）は明から冊封（さくほう）を受け、中国や日本・朝鮮・東南アジア諸国各地と中継貿易を行なって栄えました。⑪日本では、室町幕府の将軍足利義満（あしかがよしみつ）が明から日本国王と認められ、勘合（かんごう）貿易を行ないました。

11. *Qing* Unification

ミン
①In the middle of the 16th century, the *Ming* Dynasty
明

was suffering from Mongolia in the north, and Japanese
～に苦しんでいた　モンゴル　北方　倭寇

pirates in the southeast coastal areas. ②The increased
東南海岸地域　増加した軍事費

military spending brought financial difficulties to the
財政難

Ming Dynasty. ③Efforts to reorganize the financial
財政を立て直す努力

system resulted in confusion and rebellion around the
(結局)～を招いた　混乱　各地で反乱が起きた

リー　ズーチォン　ベイジン
country. ④*Li Zicheng* led rebels on an attack on *Beijing*,
李自成　反乱軍を率いて北京を攻撃した

destroying the *Ming* Dynasty.
～を滅ぼした

ジュシェン
⑤The people called *Jurchen* lived under the control of
女真と呼ばれる人々　～の支配を受けて

the *Ming* Dynasty in the northeastern part of China.
東北地方

⑥In the early 17th century, *Nurhaci* united the *Jurchen*
ヌルハチ　女真の諸部族を統一した

ジン
people, establishing the later *Jin* Dynasty (or simply
～を建国した　後金(金)

フゥアン　タイジー
called *Jin*). ⑦His son *Huang Taiji* later changed its
ホンタイジ　のちに　国号を～と改めた

チン
name into the *Qing* Dynasty.
清

⑧Once the *Ming* had gone to ruin, the *Qing* took control
～してしまうと　滅亡した　北京を支配した

of *Beijing* and made it their capital. ⑨The fourth emperor
都

Kangxi suppressed the Revolt of the Three Feudatories by defeated *Ming* generals, strengthening the foundation of the rule of China.

Kangxi（カンシー）：康熙帝　suppressed：～を平定した　the Revolt of the Three Feudatories：三藩の乱　defeated *Ming* generals：明の降将たち　strengthening：～を固めた　the foundation：基礎　the rule：支配

11．清の統一

①16世紀半ば、**明**は北方のモンゴルや、東南海岸地域の倭寇（わこう）に苦しんでいました。②明は増加した軍事費のため、財政難に陥りました。③財政の立て直しは混乱を招き、各地で反乱が起きました。④李自成（りじせい）が反乱軍を率いて北京を攻撃し、明を滅ぼしました。

⑤中国の東北地方には、女真（じょしん）と呼ばれる人々が住み、明の支配を受けていました。⑥17世紀はじめ、**ヌルハチ**が女真の諸部族を統一し、後金（こうきん）（金）を建国しました。⑦その子ホンタイジは、国号を清（しん）と改めました。

⑧明が滅亡すると、清は北京を占領し、都にしました。⑨第4代の康熙帝（こうきてい）は、明の降将（こうしょう）たちが起こした三藩（さんぱん）の乱を平定し、中国支配の基礎を固めました。

12. Development of the Ottoman Empire

①Near the end of the 13th century, Turks established
13 世紀末 トルコ人 ～を建国した
the Ottoman Empire in the northwest part of Asia Minor
オスマン帝国 西北部 小アジア
(the peninsula on the Asian side of today's Turkey). ② In
半島部 現在のトルコ共和国のアジア側
1402, they were defeated by Timur in the Battle of
～に敗れた ティムール アンカラの戦い
Ankara. ③ The Ottoman Empire was restored, and in
国力を回復した
1453 attacked and destroyed Constantinople, the capital
～を攻撃して滅ぼした コンスタンティノープル 首都
of the Byzantine Empire (Eastern Roman Empire).
ビザンツ帝国（東ローマ帝国）
④ Constantinople was renamed Istanbul and became the
～と改称した イスタンブル
capital of the Ottoman Empire. ⑤ The Ottoman Empire

conquered Syria and Egypt, putting the Muslim holy
～を征服した シリアとエジプト ～を保護下においた イスラム教の両聖地
sites of Mecca and Medina under their protection.
メッカ メディナ
⑥ The Ottoman Empire flourished the most under the
最も栄えた スレイマン１世の時代
rule of Suleiman I in the mid-16th century. ⑦ He conquered
16 世紀半ば
Hungary, and attacked Vienna, Austria. ⑧ At the battle
ハンガリー ウィーン オーストリア プレヴェザの海戦
of Preveza, he defeated the Allied Spanish and Venetian
～を破った スペイン・ヴェネツィアの連合艦隊
forces to take control of the Mediterranean Sea.
地中海の制海権を握った

⑨In the 19th century, the Egyptian-Ottoman War broke out against the Egyptian governor demanding control over Syria, leading to the intervention of European powers. ⑩Much of the empire was lost when Russia defeated the empire in the Russo-Turkish War.

19世紀に　エジプト＝トルコ戦争　起こった　エジプト総督　シリアの領有を求める　〜の結果を招いた　介入　ヨーロッパ列強　領土の多くを失った　ロシア　ロシア＝トルコ戦争

12. オスマン帝国の発展

①13世紀末、トルコ人が小アジア（現在のトルコ共和国のアジア側半島部）西北部に**オスマン帝国**をたてました。②1402年、アンカラの戦いでティムールに大敗しました。③その後、国力を回復したオスマン帝国は1453年に**ビザンツ帝国**（東ローマ帝国）の首都**コンスタンティノープル**を攻撃し、滅ぼしました。
④コンスタンティノープルは**イスタンブル**と改称され、オスマン帝国の首都になりました。⑤オスマン帝国は、シリアとエジプトを征服し、イスラム教の両聖地であるメッカとメディナを保護下におきました。
⑥オスマン帝国は、16世紀半ばの**スレイマン1世**の時代に最も栄えました。⑦彼はハンガリーを征服し、オーストリアのウィーンを攻撃しました。⑧プレヴェザの海戦で、スペイン・ヴェネツィアの連合艦隊を破り、地中海の制海権を握りました。
⑨19世紀に入ると、シリアの領有を求めるエジプト総督との間に**エジプト＝トルコ戦争**が起こり、ヨーロッパ列強の介入を招きました。⑩オスマン帝国はロシアとの**ロシア＝トルコ戦争**に敗れ、領土の多くを失いました。

13. Development of the Mughal Empire（ムガル帝国の発展）

Babur invaded northern India in the 16th century.
16 世紀、バーブルが北インドに進出しました。

Babur defeated the Delhi Sultanate, laying the groundwork for the Mughal Empire.
バーブルはデリー＝スルタン朝軍を破り、ムガル帝国の基礎を築きました。

By the time of the third generation Akbar, the Mughal Empire was at its peak.
第３代アクバルのときに、ムガル帝国の土台ができました。

The Muslum Akbar tried to get along with the Hindus.
イスラム教徒のアクバルは、ヒンドゥー教徒との融合をはかりました。

Akbar married the princess of the Rajput (of the Hindu).
アクバルはラージプート族(ヒンドゥー教を信仰)の王女と結婚しました。

The *Jizya* tax on non-Muslim citizens was ended.
非イスラム教徒に課していたジズヤと呼ばれる人頭税を廃止しました。

The Taj Mahal was built by Shah *Jahan* with a mix of Indian and Islamic styles.
インド様式とイスラム様式が融合したタージ＝マハルがシャー＝ジャハンによって建築されました。

The Mughal Empire reached its largest size during the rule of Emperor Aurangzeb.
ムガル帝国はアウラングゼーブ帝の時代に最大の領土を有しました。

Aurangzeb oppressed the Hindus.
アウラングゼーブは、ヒンドゥー教徒を圧迫しました。

A Hindu state, the Marata Kingdom, was established.
ヒンドゥー国家のマラーター王国が誕生しました。

After the death of Aurangzeb, the Mughal Empire fell apart.
アウラングゼーブの死後、ムガル帝国は解体しました。

Part 2

The History of the East

第2編

東洋史

Chapter 2

From the Asian Rule by the Great Powers to the Modern Asia

第2章

列強のアジア支配～現在のアジア

年表 Ⅳ

1600	1600	Britain establishes the East India Company. イギリスが東インド会社を設立する	P.174
	1602	The Netherlands establishes the East India Company. オランダが東インド会社を設立する	P.174
1800	1840	The Opium War breaks out. (～1842) アヘン戦争が勃発する(～1842)	P.176
	1842	The Treaty of *Nanjing* is signed. 南京条約を結ぶ	P.176
1850	1851	The Taiping Rebellion occurs. (～1864) 太平天国の乱が起こる(～1864)	P.178
	1856	The Arrow War breaks out. (～1860) アロー戦争が勃発する(～1860)	P.177
	1857	*Shipahi's* Rebellion occurs. (～1859) シパーヒーの反乱が起こる(～1859)	P.174
	1858	The Mughal Empire is ended. ムガル帝国が滅亡する	P.174
	1858	The Treaty of *Tianjin* is signed. 天津条約を結ぶ	P.177
	1860	The Treaty of *Beijing* is signed. 北京条約を結ぶ	P.177
	1875	The *Ganghwa* Island Incident occurs. 江華島事件が起こる	P.180
	1877	The British Raj is established. (～1947) 英領インド帝国が成立する(～1947)	P.175
	1894	The *Donghak* Peasant Revolution occurs. 甲午農民戦争が起こる	P.180
	1894	The Japanese-Sino War break out. (～1895) 日清戦争が勃発する(～1895)	P.180
	1895	The Treaty of *Shimonoseki* is signed. 下関条約を結ぶ	P.180
	1898	The Coup of 1898 occurs. 戊戌の政変が起こる	P.183
1900	1900	The Boxer Rebellion occurs. 義和団事件が起こる	P.184
	1902	The Anglo-Japanese Alliance is signed. 日英同盟が結ばれる	P.184
	1904	The Japanese-Russo War breaks out. (～1905) 日露戦争が勃発する(～1905)	P.185

	1905	The Treaty of Portsmouth is signed. ポーツマス条約が結ばれる	→ P.185
	1911	The *Xinhai* Revolution occurs. 辛亥革命が起こる	→ P.186
	1912	The Republic of China is established. 中華民国が建国される	→ P.186
	1915	Japan presents the Twenty-One Demands to China. 日本が中国に二十一カ条の要求を出す	→ P.188
	1919	The March 1st Movement occurs in Korea. 朝鮮で、三・一独立運動が起こる	→ P.188
	1919	The May 4th Movement occurs in China. 中国で、五・四運動が起こる	→ P.188
	1931	The Manchurian Incident occurs. 満州事変が起こる	→ P.190
	1932	Japan establishes *Manchukuo*. 日本が満州国を建国する	→ P.190
	1933	Japan leaves the League of Nations. 日本が国際連盟を脱退する	→ P.191
	1937	The Second Sino-Japanese War breaks out. 日中戦争が勃発する	→ P.196
	1941	The War in the Pacific breaks out. 太平洋戦争が勃発する	→ P.192
	1945	The Atomic bombs are dropped on *Hiroshima* and *Nagasaki*,and Japan accepted the Potsdam Declaration. 広島・長崎に原子爆弾を投下され、日本はポツダム宣言を受諾する	→ P.193
	1948	The Republic of Korea and the Democratic People's Republic of Korea are established. 大韓民国・朝鮮民主主義人民共和国が成立する	→ P.194
	1949	The People's Republic of China is established. 中華人民共和国が建国される	→ P.197
1950	1950	The Korean War breaks out.　(〜1953) 朝鮮戦争が勃発する(〜1953)	→ P.198
	1951	The Treaty of San Francisco is signed. サンフランシスコ平和条約が結ばれる	→ P.199
2000			
	2002	The Japan–North Korea *Pyongyang* Declaration is issued. 日朝平壌宣言が出される	→ P.200
	2014	The Islamic State one-sidedly declares the establishment of a state. イスラム国が一方的に国家の樹立を宣言する	→ P.202
	2018	The *Panmunjom* Declaration is issued. 板門店宣言が出される	→ P.204
	2020	A new coronavirus infection becomes a worldwide pandemic. 新型コロナウイルスの感染が世界的に大流行する	→ P.206

14. British Rule of India

①During the 17th and 18th centuries, Indian cotton cloth
17 世紀から 18 世紀にかけて　インド産の綿布（キャラコ）
(calico) became popular throughout the world, and to
国際商品になった
control this market, the East India Companies run by
東インド会社　経営された
countries such as Britain and France, were operating in
イギリスやフランスなど　商業活動を行なっていた
India. ②The Mughals had little actual power, and ruled
インド　ムガル帝国　実勢が衰えた
India in name only. ③Britain strengthened its power in
名ばかりの　イギリス　支配力を強めた
India by defeating French and Indian forces.
フランスやインド諸勢力との戦いに勝利した

④After the Industrial Revolution, British-made cotton
産業革命　イギリス製の　綿布
was exported to India, overwhelming Indian-made
〜に流入した　〜を圧倒した　インド製の
cotton. ⑤The traditional Indian crafts were pressured,
在来手工業　圧迫された
and India became a cotton producer for Britain, a
綿花の供給地
British-made cotton product market, and an opium
イギリス綿布の市場　アヘンの栽培地
producer. ⑥In 1857, with rising anti-British sentiment,
反英感情が高まるなか
Indian soldiers (Sepoi, *Shipahi*) led a rebellion.
インド人傭兵（セポイ・シパーヒー）　大反乱を起こした
⑦Britain stopped the rebellion, ending the Mughal
反乱を鎮圧した　ムガル帝国を滅ぼした
Empire. ⑧Britain broke up the East India Company, and
〜を解散した

in 1877 Queen Victoria was declared Empress of India,
ヴィクトリア女王　インド皇帝に即位した
establishing the British Raj.
インド帝国が成立した

14. イギリスのインド支配

①17世紀から18世紀にかけて国際商品になったインド産の綿布(めんぷ)(キャラコ)を得るため、イギリスやフランスなどの**東インド会社**が、インドでの商業活動を行なっていました。②インドを治めていた**ムガル帝国**の勢力は衰え、名ばかりの存在になっていました。③フランスやインド諸勢力との戦いに勝利したイギリスが、インドでの支配力を強めました。
④産業革命以降、イギリス製の綿布がインドに流入し、インド製の綿布を圧倒しました。⑤インドの在来手工業は圧迫され、インドは綿花の供給地・イギリス綿布の市場・アヘンの栽培地となりました。
⑥反英感情が高まるなか、1857年、インド人傭兵(ようへい)（**セポイ／シパーヒー**）による**大反乱**が起きました。⑦イギリスはこの反乱を鎮圧し、ムガル帝国を滅ぼしました。⑧イギリスは東インド会社を解散し、1877年、**ヴィクトリア女王**がインド皇帝に即位して、**インド帝国**が成立しました。

15. The Opium War and the Arrow War

①Increased demand for tea in Britain led to a sharp
増えた茶の需要　イギリス　急増
increase in tea imports from China. ②However, British
中国茶の輸入　一方
wool products did not sell well in China, which meant a
イギリス産の毛織物　～を意味した
lot of silver was moving to the *Qing* (チン) Dynasty. ③Britain
銀　清へ流出した
set up a trade triangle by importing Chinese tea,
～を確立した　三角貿易　中国茶
exporting British cotton products to India, and sending
イギリス産の綿製品をインドへ
Indian opium (オウピアム) to China.
インド産のアヘンを中国へ

④Opium use and illegal trade increased in China. ⑤The
アヘンの吸飲や密輸が増加した
Qing government sent *Lin* (リン) *Zexu* (ゼェアシュ) to *Guangzhou* (グゥアンヂョウ) to
清政府　～を派遣した　林則徐　広州
control the situation. ⑥Britain sent their navy in 1840
取り締まった　海軍
demanding free trade, marking the beginning of the
～を要求して　自由貿易　アヘン戦争が始まった（←アヘン戦争の始まりを記した）
Opium War.

⑦The *Qing* were defeated by Britain, and signed the
清　～に敗れた　南京条約を結んだ
Treaty of *Nanjing* (ナンジン). ⑧The *Qing* gave Hong Kong to
～を割譲した　香港島
Britain, and agreed to open five ports to trade, including
～を認めた　5港の開港　広州・上海など
Guangzhou and *Shanghai*.

⑨British interests were still not making money in the *Qing*, and in 1856 Britain and France started the Arrow War, which led to the signing of the Treaty of *Tianjin*.

清での利益があがらない　フランス　アロー戦争　ティエンジン　それが〜へと導いた　天津条約の締結

⑩They also occupied *Beijing*, leading to the signing of the Treaty of Beijing. ⑪The *Qing* opened eleven more ports including *Tianjin*, and gave southern *Kowloon* to Britain.

北京を占領した　〜の結果を招いた　北京条約の締結　さらに11港を開いた　カウルーン　天津など　九竜半島南部

15. アヘン戦争とアロー戦争

①イギリスでは、茶の需要が増え、中国茶の輸入が急増しました。②一方、イギリス産の毛織物は中国では売れず、そのため、銀が清へ流出しました。③イギリスは、中国の茶をイギリスへ、イギリスの綿製品をインドへ、インド産のアヘンを中国へ運ぶ**三角貿易**を確立しました。

④中国ではアヘンの吸飲や密輸が増加しました。⑤清政府は林則徐(りんそくじょ)を広州(こうしゅう)に派遣して取り締まらせました。⑥イギリスは自由貿易を要求して武力に訴え、海軍を派遣し、1840年、**アヘン戦争**が始まりました。

⑦清は、イギリスに敗れ、**南京条約**を結びました。⑧清は、香港島の割譲や広州・上海(シャンハイ)など5港の開港などを認めました。

⑨その後も清での利益があがらないイギリスは、フランスとともに1856年に**アロー戦争**を起こし、**天津(てんしん)条約**を結びました。

⑩さらに北京を占領して**北京条約**を結びました。⑪清は天津など11港を開き、九竜半島南部をイギリスに割譲しました。

16. The Taiping Rebellion (太平天国の乱)

After the Opium Wars, the Qing Dynasty put heavy taxes on people.
アヘン戦争後の清では、民衆は重税に苦しみました。

Hong Xiuquan founded the Taiping Empire in 1851.
1851 年、洪秀全らは太平天国をたてました。

Taiping forces occupied the city of *Nanjing*, made it the capital and renamed it *Tainjing*.
太平天国軍は南京を占領して首都とし、天京(てんけい)と名づけました。

Taiping forces were moved into northern China, with the hopes of overthrowing the *Qing* Dynasty.
太平天国軍は清朝の打倒を目指し、華北へ軍を進めました。

With civil war in *Tainjing*, the Imperial volunteer army was able to defeat the Taiping army.
天京で内紛が起きたのを機に、漢人官僚の義勇軍が太平天国軍を破りました。

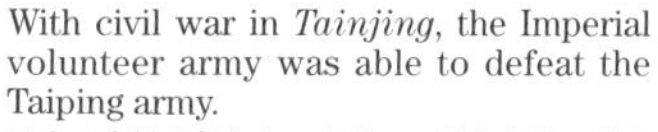

The *Qing* forces were able to stop the Taiping army with the help of other countries.
清朝は諸外国の常勝軍の協力を得て、太平天国軍に対抗しました。

Tainjing fell in 1864, ending the Taiping Empire.
1864年、天京は陥落し、太平天国は滅びました。

The Taiping Rebellion showed the weakness of the *Qing* Dynasty.
太平天国の乱により、清朝の無力さが明らかになりました。

17. The Opening of Korea and the Japanese-Sino War

①During the 1860's, Western countries pressured closed
1860 年代　欧米諸国　鎖国を続ける朝鮮に~するよう迫った
Korea to open the country. ②Korea refused this, and
朝鮮　~を拒否した
continued to keep foreigners out.
攘夷（外国人排斥）を続けた
③Japan regarded Korea as an equal independent country
朝鮮を~とみなした　対等な独立国
チン
and demanded open trade, opposed to *Qing* claiming
通商を求めた　清と対立した　宗主権を主張する
ジィァンファ
of authority. ④Japanese forces caused the *Ganghwa*
日本軍　~を起こした　江華島事件
Island Incident of 1875, leading to the signing of the

Treaty of *Ganghwa*, an unequal treaty for Korea. ⑤In
朝鮮にとって不平等条約となる日朝修好条規（江華島条約）の締結
ドンニプダン
Korea there were conflicts between *Dongnipdang* (the
対立　~との間の　独立党
Independent Party), trying to approach Japan and
日本と親しくして近代化をはかろうとする
サテダン
modernize, and *Sadaedang*, trying to keep close to the
事大党　清と親しくして体制を維持しようとする
Qing Dynasty and maintain the regime.

ドンハク
⑥The *Donghak* Peasant Revolution happened in Korea
甲午農民戦争（東学党の乱）
in 1894. ⑦Both *Qing* and Japan sent forces to stop the
出兵した
サイノウ
uprising, leading to the Japanese-Sino War. ⑧The *Qing*
反乱　日清戦争　清
Dynasty lost the war, and signed the Treaty of
~を結んだ　下関条約

Shimonoseki in 1895. ⑨ The *Qing* Dynasty gave independence to Korea, as well as giving up Taiwan, the *Penghu* Islands, and the *Liaodong* Peninsula to Japan, and agreed to pay war compensations to Japan.

～の独立を認めた　同時に　～を―に譲り渡した　台湾　澎湖諸島（ポンフー）　遼東半島（リィァォドン）　賠償金の支払いに同意した

17. 朝鮮の開国と日清戦争

①1860年代、欧米諸国は鎖国（さこく）を続ける朝鮮に対し、開国を迫りました。②朝鮮はこれを拒否し、攘夷（じょうい）（外国人排斥（はいせき））を続けました。

③日本は朝鮮を対等な独立国とし通商を求め、宗主権を主張する清と対立しました。④日本は1875年、江華島（こうかとう）**事件**を起こし、朝鮮にとって不平等条約となる**日朝修好条規**（江華島条約）を結びました。⑤朝鮮国内では、日本と親しくして近代化をはかろうとする**独立党**と、清と親しくして体制を維持しようとする事大党（じだいとう）が対立しました。

⑥1894年、甲午（こうご）**農民戦争**（東学党の乱）が起きました。⑦日本も清も、その反乱を鎮（しず）めるために出兵して、日清（にっしん）**戦争**となりました。⑧清は戦争に敗れ、1895年に**下関条約**を結びました。

⑨清は朝鮮の独立を認め、同時に台湾・澎湖（ポンフー）諸島・遼（リアオトン）**東半島**を日本に譲り渡し、賠償金の支払いに同意しました。

18. The Great Powers in China

チン
① After the *Qing* Dynasty was defeated in the Japanese-
清が敗北した 日清戦争

Sino War, the weakening of *Qing* became known and
弱体化 明らかとなった

western powers began to get interests in *Qing*.
欧米列強 利権の獲得に乗り出した

リィアォドン
② Russia forced Japan to return the *Liaodong* Peninsula
ロシア 日本に～を返還させた 遼東半島

to *Qing*, in exchange for the rights to build the Chinese
～の代わりに 東清鉄道の敷設権

Eastern Railway. ③ Germany, under the pretext that
ドイツ ～を口実に

German missionaries had been killed, forced *Qing* to
ドイツ人宣教師が殺されたこと ～を租借した(←借地を強いた)

ジャオチョウ
lease the *Jiaozhou* Bay. ④ Russia forced *Qing* to lease
膠州湾

the southern part of the *Liaodong* Peninsula, The United
南部 イギリス

ウェイハイウェイ カウルーン
Kingdom *Weihaiwei* and the *Kowloon* Peninsula, and
威海衛 九竜半島

グゥァンヂョウ
France the Gulf of *Guangzhou*. ⑤ Russia also made the
フランス 広州湾 清に～を認めさせた

Qing Dynasty realize the priority of rights and interests
利権の優先権

シャンドン
of the northeast, and Germany, of the *Shandong* region.
東北地方 山東地方

⑥ More people in China insisted on institutional reforms.
制度改革を主張する

グゥアン シュ カン ヨウウェイ
⑦ With the support of Emperor *Guang Xu*, *Kang Youwei*
支持 光緒帝 康有為

published one law after another to modernize institutions.
法令を次々と発布した 諸制度を近代化するために

[8] These reforms are called the Hundred Days' Reform.
戊戌の変法

[9] However, the conservatives against reform made a coup d'etat (The Coup of 1898) in cooperation with *Cixi Taihou* (the Empress *Dowager Cixi*). [10] Emperor *Guang Xu* was imprisoned and the reform movement failed.

しかし　改革に反対していた保守派　クーデター（戊戌の政変）　～と結んで　西太后（シータイホウ）　ダウイジャー　幽閉された　改革の動きは失敗した

18. 列強の中国進出

[1]清が**日清戦争**で敗北すると、その弱体化が明らかとなり、欧米列強は中国の利権の獲得に乗り出しました。[2]ロシアは、日本から清へ**遼東半島**を返還させ、代わりに東清（とうしん）鉄道の敷設（ふせつ）権を手に入れました。[3]ドイツは、ドイツ人宣教師が殺されたことを口実に、膠州湾（こうしゅうわん）を租借（そしゃく）しました。[4]ロシアは遼東半島の南部を、イギリスは威海衛（いかいえい）・九竜（きゅうりゅう）半島を、フランスは広州湾（こうしゅうわん）を租借しました。[5]また、ロシアは東北地方、ドイツは山東（さんとう）地方など、清に利権の優先権を認めさせました。
[6]清では、制度改革を主張する意見が台頭しました。[7]康有為（こうゆうい）は、光緒帝（こうしょてい）の支持を得て、諸制度を近代化するための法令を次々と発布しました。[8]これを**戊戌（ぼじゅつ）の変法**といいます。[9]しかし、改革に反対していた保守派は、西太后（せいたいこう）と結んで、クーデター（**戊戌の政変**）を起こしました。[10]光緒帝は幽閉され、改革の動きは失敗しました。

19. The Boxer Rebellion and the Japanese-Russo War

チン
① After the *Qing* Dynasty was defeated by Japan in the
清 ～に敗れた

Japanese-Sino War, other countries began moving into
日清戦争

シャンドン
China. ② In the *Shandong* province, the Boxers, the
山東省 義和団

union of religious societies and military groups, gained
宗教結社と自警団が結びついた 勢力を強めた

power. ③ The Boxers raised their slogan "support the
「扶清滅洋」をとなえた

ベイジン
Qing, destroy the foreign" and they entered *Beijing* in
北京

1900, surrounding the offices of the great powers.
～を包囲した 公使館 列強

④ Eight countries, mainly Japan and Russia, sent forces
ロシア 出兵した

to protect the foreign residents. ⑤ The Eight-Nation
在住外国人を保護するために 八カ国の連合軍

Alliance took control of *Beijing* and rescued them.
北京を占領した ～を救出した

⑥ This is called the Boxer Rebellion.
義和団事件

⑦ Russia did not remove its troops from Manchuria, and
撤兵しなかった 満州

was planning to move them into the Korean Peninsula.
～へ兵を進めるつもりでいた 朝鮮半島

⑧ The United Kingdom and Japan, alarmed by the actions
イギリス ～を警戒して 動き

of Russia, signed the Anglo-Japanese Alliance.
日英同盟を結んだ

⑨ Japan declared war on Russia in 1904, marking the
～に宣戦した ～を記した

start of the Japanese-Russo War. ⑩ Japan was doing well in the war, but couldn't fight out the prolonged war. ⑪ In Russia the 1905 Russian Revolution happened in 1905, also leading to concerns about the domestic situation. ⑫ Russia and Japan signed the Treaty of Portsmouth, arranged by the President of the United States.

日露戦争 / 戦局を優位に進めた / 長期戦を戦い抜くことができなかった / 第一革命 / ～についての不安を感じた / 国内情勢 / ～を締結した / ポーツマス条約 / ～の調停によって / アメリカ大統領

19. 義和団事件と日露戦争

①日清戦争で清が日本に敗れると、各国が清へ進出するようになりました。②山東省では、宗教結社と自警団が結びついた**義和団**が勢力を強めました。③義和団は「扶清滅洋（ふしんめつよう）」を唱え、1900年に北京に入り、列強の公使館を包囲しました。④日本とロシアを主力とする八カ国は、在住外国人を保護することを目的に、清に出兵しました。⑤八カ国の連合軍は、北京を占領し、在住外国人を救出しました。⑥これを**義和団事件**といいます。

⑦ロシアは、満州から撤兵せず、朝鮮半島へ兵を進めるつもりでいました。⑧イギリスと日本は、ロシアの動きを警戒して、**日英同盟**を結びました。

⑨日本は、1904年にロシアに宣戦し、**日露戦争**が始まりました。

⑩日本は戦局を優位に進めましたが、長期戦には耐えられませんでした。⑪ロシアも国内で1905年に第一革命が起こり、国内情勢に不安がありました。⑫日露両国は、アメリカ大統領の調停によって、**ポーツマス条約**を締結しました。

20. The *Xinhai* Revolution and the Establishment of the Republic of China

①To construct a more modern state after the Boxer
近代国家を建設するために　義和団事件
Rebellion, the *Qing* (チン) made several reforms including
清　改革を進めた　～などの
ending the imperial examination system. ②A constitution
科挙の廃止　憲法大綱を発表した
was constructed, and a national assembly promised.
国会開設を約束した
③However, intellectuals and ethnic leaders aimed at
しかし　知識人や民族資本家　～を目指した
bringing down the *Qing* to save China.
清朝打倒　中国を救うため
④*Sun* (スン) *Wen* (ウェン) gathered several revolutionary groups and
孫文　～を集めた　革命団体
founded the *Tongmenghui* (トンモンフォイ) in Tokyo, Japan. ⑤The
～を結成した　中国同盟会
Tongmenghui revolutionary movement was based on
革命運動
the Three Principles of the People, ethnic independence,
三民主義　民族の独立
increased civil rights, and civil stability. ⑥In 1911,
民権の伸長　民生の安定
revolutionary factions began rioting in *Wuchang* (ウーチャン),
革命派　暴動を起こした　武昌
marking the beginning of the *Xinhai* (シンハイ) Revolution. ⑦The
～を記した　辛亥革命
revolutionary army named *Sun Wen* the temporary
革命軍　～を一に指名した　臨時大統領
president, and in 1912 established The Republic of China,
～を建国させた　中華民国
making *Nanjing* (ナンジン) the capital.
南京を首都として

⑧ The *Qing* sent *Yuan Shikai* (ユエン シーカイ / 袁世凱) to negotiate with the revolutionaries (革命側と交渉させるために). ⑨ However, *Yuan Shikai* went against (〜を裏切った) the *Qing* and became the temporary president (臨時大統領) of the Republic of China in exchange for (〜と引き換えに) removing the *Qing* emperor from power (清帝の退位). ⑩ The last emperor (最後の皇帝) of the *Qing* (清朝) Dynasty, *Xuantong* Emperor (*Puyi*) (シュエントン / プーイー / 宣統帝（溥儀）) was removed from power, marking the end (滅亡した) of the *Qing* Dynasty.

20. 辛亥革命と中華民国の成立

①清朝は義和団事件後、近代国家建設のため、**科挙**の廃止など改革を進めました。②憲法大綱（たいこう）を発表して国会開設を約束しました。③しかし、知識人や民族資本家は中国を救うため、清朝打倒を目指しました。

④孫文（そんぶん）は、いくつかの革命団体を集め、日本の東京で**中国同盟会**を結成しました。⑤中国同盟会は、民族の独立・民権の伸長（しんちょう）・民生の安定という**三民主義**を説き、革命運動を進めました。

⑥1911年、革命派が武昌（ぶしょう）で暴動を起こし、**辛亥革命**（しんがい）が始まりました。⑦革命軍は孫文を臨時大総統とし、1912年に南京を首都とした**中華民国**を建国しました。

⑧清朝は、袁世凱（えんせいがい）に革命側と交渉させました。⑨しかし、袁世凱は清を裏切り、清帝の退位と引き換えに、中華民国の臨時大総統の地位を譲りうけました。⑩清朝最後の皇帝・宣統帝（せんとうてい）（溥儀（ふぎ））が退位して、清朝は滅亡しました。

21. The March 1st Movement and the May 4th Movement

アネクセイション

①The Japan-Korea Annexation Treaty put Korea under

日韓併合 朝鮮 日本の統治下に

Japanese rule, but the self-determination policy raised

民族自決

during the First World War made them feel hope for

第一次世界大戦中に提起された 自立への希望を抱いた

their independence.

② On March 1st 1919, the *Manse* Demonstrations began

3月1日 「独立万歳」と叫ぶデモ

in Seoul and spread throughout the country. ③ This is

ソウル 広まった 全国に

referred to as the March 1st Movement. ④The Governor-

三・一独立運動 朝鮮を統治する朝鮮総督府

General of Korea sent forces to crush the movement.

軍隊 運動を鎮圧した

⑤ At this time China asked for but did not receive the

中国 ～を求めたが受け入れられなかった

cancellation of the Twenty-One Demands presented by

取り消し 二十一カ条要求 提出された

Japan during the First World War, and the return of

返還

シャンドン

rights and interests in *Shandong* made to Germany, at

利権 山東省 ドイツ

the Paris Peace Conference in 1919. ⑥ On May 4th, 1919,

パリ講和会議 5月4日

a demonstration protesting against Japan and the Treaty

ヴェルサイユ条約反対や排日を掲げたデモ

of Versailles was held in *Beijing* mostly by students.

北京 学生を中心に

⑦ This is called the May 4th Movement. ⑧As a result,

五・四運動 この結果

the Chinese government refused to sign the Treaty of Versailles.

中国政府　〜を拒否した　ヴェルサイユ条約の調印

21．三・一独立運動と五・四運動

①**日韓併合**により日本の統治下に置かれた朝鮮では、第一次世界大戦中に提起された民族自決に自立への希望を抱きました。②1919年3月1日、ソウルで「独立万歳」と叫ぶデモが起こり、全国に広まりました。③これを**三・一独立運動**といいます。④朝鮮を統治する朝鮮総督府は、軍隊を出して運動を鎮圧（ちんあつ）しました。

⑤一方、中国は1919年のパリ講和会議で、第一次世界大戦中に日本から提出された二十一カ条要求の取り消しや、山東省のドイツ利権の返還を求めましたが、受け入れられませんでした。⑥1919年5月4日、北京で学生を中心にヴェルサイユ条約反対や排日を掲げたデモが起こりました。⑦これを**五・四運動**といいます。⑧この結果、中国政府はヴェルサイユ条約の調印を拒否しました。

22. The Manchurian Incident

① After the First World War, the economic boom during
第一次世界大戦　戦争中の好景気
the war in Japan came to an end, exports declined, and
輸出が減少した
the influence of the Great Depression led to serious
影響　世界恐慌
unemployment of the working class and poverty for the
労働者の失業　農民の窮乏
farmers. ② Japan hoped to secure the rights to resources
～を目指した　権益を確保すること
マンチュリア
in Northeast China (Manchuria).
中国東北地方（満州）
クワントゥン
③ In 1931, the Japanese Kwantung Army bombed the
日本の関東軍　鉄道の爆破事件を起こした
リィウティアオ
railroad near Lake *Liutiao* in Manchuria. ④ Japan blamed
柳条湖　～を一のせいにした
the incident on the Chinese, and began the military
事件　中国人　軍事行動
action called the Manchurian Incident today.
満州事変

⑤ Japan was criticized by nations around the world for
～を世界から批判された
its military action. ⑥ The League of Nations at the request
国際連盟　中国の求めに応じて
of China sent the Lytton Commission to investigate.
リットン調査団を派遣した　調査するために
マンチュークウォウ　チン
⑦ Japan established *Manchukuo* with the last *Qing*
～を建国した　満州国　清朝最後の皇帝だった溥儀を擁立して
プーイー
emperor *Puyi* as its head. ⑧ The commission concluded
調査団　～と結論づけた
that Japan's military actions were not in self-defense.
自衛権の行使ではなかった

⑨ The League of Nations refused to recognize *Manchukuo* and told Japan to withdraw. ⑩ Japan refused, and left the League of Nations.

refused to recognize：～を認めなかった
told Japan to withdraw：日本軍の撤退を勧告した
refused：受け入れなかった
left：～を脱退した

22. 満州事変

①日本は第一次世界大戦後、戦争中の好景気が終わって輸出が減少し、**世界恐慌**の影響も受けて労働者の失業や農民の窮乏(きゅうぼう)が深刻になりました。②そのため、日本は中国の東北地方（満州）の権益確保を目指しました。
③1931年、日本の**関東軍**は、満州の柳条湖(りゅうじょうこ)で鉄道の爆破事件を起こしました。④日本は、これを中国側の仕業(しわざ)であるとして軍事行動を起こし、**満州事変**が始まりました。
⑤日本の軍事行動は世界から批判されました。⑥**国際連盟**は、中国の求めに応じて**リットン調査団**を派遣し、調査しました。
⑦日本は、清朝最後の皇帝だった溥儀(ふぎ)を擁立(ようりつ)して**満州国**を建国しました。⑧調査団は、日本の軍事行動は自衛権の行使ではないと結論づけました。⑨国際連盟は、満州国を認めず、日本軍の撤退を勧告しました。⑩日本は、この勧告を受け入れず、**国際連盟を脱退**しました。

23. The Pacific War (太平洋戦争)

Japan tried to acquire the resources of Southeast Asia.
日本は東南アジアの資源獲得を目指しました。

America banned the export of oil to Japan, and established the ABCD line.
アメリカは日本への石油輸出を禁止し、ABCD ラインを敷きました。

Negotiations between Japan and the U.S. broke down.
日米間の交渉は行き詰まりました。

On December 8, 1941, Japanese forces attacked Pearl Harbor in Hawaii.
1941 年 12 月 8 日、日本軍はハワイの真珠湾を攻撃しました。

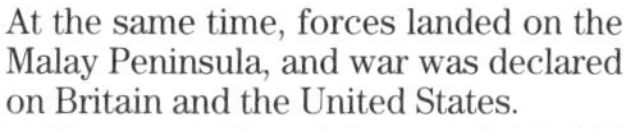
At the same time, forces landed on the Malay Peninsula, and war was declared on Britain and the United States.
同時にマレー半島に上陸し、アメリカとイギリスに宣戦しました。

Japan occupied many countries including Indonesia, Singapore, and the Malay Peninsula.
日本はマレー半島やシンガポール、インドネシアなどを占領しました。

But the situation got worse.
しかし、次第に戦局は悪化しました。

The Atomic bomb was dropped, and Japan accepted the Potsdam Declaration, ending the war.
原子爆弾が投下され、日本はポツダム宣言を受諾し、終戦しました。

24. Asian Countries After the War

① After World War II, Asian countries became independent
第二次世界大戦　アジア諸国　独立した
from Japan and Western powers.
西欧列強
② Korea was declared independent at the Cairo
朝鮮　独立が承認されていた　カイロ会談
Conference in 1943, but the Soviet Union kept control
ソ連　管理した
of north of the 38th parallel, and the United States the
北　北緯 38 度線　アメリカ
south. ③ The north and south disagreed on reunification,
南　統一の方法をめぐって対立した
and in 1948 became two separate countries, the south
二つの国家に分断された
the Republic of Korea, and the north the Democratic
大韓民国　朝鮮民主主義人民共和国
People's Republic of Korea.

④ Conflict arose in India between the All-India Muslim
対立が起こった　インド　全インド=ムスリム連盟のジンナー
League of Jinnah that supported Pakistan separation
パキスタンの分離・独立を目指す
and independence, and Gandhi's Indian National
ガンディーら国民会議派
Congress Party that hoped for unity. ⑤ In 1947, the
統一インドを目指す
nation was divided into two independent nations, the
分かれて独立した
Hindu Union of India, and the Muslim Pakistan.
ヒンドゥー教徒のインド連邦　イスラム教徒のパキスタン
⑥ In the Dutch East Indies, *Sukarno* declared
オランダ領東インド　スカルノ　独立を宣言した

independence, establishing the Republic of Indonesia.
インドネシア共和国が成立した
⑦ In French Indochina, the Vietnamese Independence
フランス領インドシナ　ベトナム独立連盟の指導者
League leader *Ho Chi Minh* declared the independence
ホー＝チ＝ミン
of the Democratic Republic of Vietnam. ⑧ The Federation
ベトナム民主共和国　マラヤ連邦
of Malaya with Singapore and North Borneo formed
シンガポールや北ボルネオを加えて
Malaysia on the Malay Peninsula.
マレーシア連邦が成立した　マレー半島

24. 大戦後のアジア諸国

①第二次世界大戦後、アジア諸国は日本や西欧列強から独立しました。
②朝鮮は、1943年のカイロ会談で独立が承認されていましたが、北緯(ほくい)38度線を境(さかい)に、北をソ連が、南をアメリカが管理しました。
③統一の方法をめぐって南北は対立し、1948年には南部に**大韓民国**、北部に**朝鮮民主主義人民共和国**が成立して、朝鮮は二つの国家に分断されました。
④インドでは、パキスタンの分離・独立を目指す全インド＝ムスリム連盟の**ジンナー**と、統一インドを目指す**ガンディー**ら国民会議派が対立しました。⑤1947年、ヒンドゥー教徒の**インド連邦**とイスラム教徒の**パキスタン**に分かれて独立しました。
⑥オランダ領東インドでは、**スカルノ**らが独立を宣言して**インドネシア共和国**が成立しました。⑦フランス領インドシナでは、ベトナム独立連盟の指導者であったホー＝チ＝ミンが**ベトナム民主共和国**の独立を宣言しました。⑧マレー半島では、マラヤ連邦がシンガポールや北ボルネオを加えて**マレーシア連邦**が成立しました。

25. Establishment of China

サイノウ
①With the beginning of the Second Sino-Japanese War in
日中戦争が起こると
クゥオウミンタン
1937, the *Kuomintang* and the Communist Party which
国民党 共産党
had been fighting, worked together (Second United
それまで対立していた 協力した （第２次国共合作）
Front) to fight Japan. ②However, the end of the Second
しかし 末期 第二次世界大戦
World War put the two parties at odds again. ③The
～を対立させた
Kuomintang regime was a member of the United
国民党政権 国際連合
Nations, and recognized by the United States, Britain
～の支持を得ていた アメリカ合衆国（米） イギリス（英）
and the Soviet Union as the only legal government.
ソ連（ソ） 唯一の合法政権として
④The Communist Party worked on land reform to gain
土地改革 ～を得た
the support of farmers. ⑤Government corruption and
農民の支持 政権の腐敗
inflation destroyed the support of the regime, which also
インフレ 支持を失った
continued losing military conflicts with the communists.
共産党軍に攻められ敗退し続けた
チャン カイシェク
⑥*Chiang Kai-shek* supported the *Kuomintang* which
蔣介石 ～を維持した
had retreated to Taiwan.
台湾へ逃れて
ベイジン マウ ザドン
⑦The capital was moved to *Beijing*, *Mao Zedong* was
首都 北京 毛沢東
チョウ エンライ
named chairman, and *Zhou Enlai* prime minister,
指名された 国家主席 周恩来 首相

establishing the People's Republic of China in 1949.
成立した　中華人民共和国
⑧ The People's Republic of China signed the Sino-Soviet
～を結んだ　中ソ友好同盟相互援助条約
Treaty of Friendship in 1950, and the Communist Party led the country to become a more socialist state.
社会主義化が進められた

25. 中華人民共和国の成立

①1937年に日中戦争が起こると、それまで対立していた**国民党**と**共産党**は協力して（第2次国共合作）、日本と戦いました。②しかし、第二次世界大戦末期になると、両党が再び対立しました。③国民党政権は国際連合にも加盟し、唯一の合法政権として米・英・ソの支持を得ていました。④共産党は土地改革などを行ない、農民の支持を得ました。⑤政権の腐敗とインフレのため、支持を失った国民党軍は共産党軍に攻められ、敗退が続きました。⑥蔣介石（しょうかいせき）は、台湾（たいわん）へ逃れて**中華民国**政府を維持しました。

⑦1949年、首都を**北京**とし、毛沢東（もうたくとう）を国家主席、周恩来（しゅうおんらい）を首相とする**中華人民共和国**が成立しました。⑧中華人民共和国は、1950年に中ソ友好同盟相互援助条約をソ連と結び、共産党の主導下、社会主義化が進められました。

26. The Korean War

①With the aim of reunification, forces of the Democratic People's Republic of Korea (North Korea) invaded across the border and continued to the southern tip of the Korean Peninsula. ②The United Nations Security Council acknowledged the actions of North Korea were a military invasion. ③To assist the Republic of Korea (South Korea) the UN sent forces led by the American military. ④The UN forces pushed the North Korean forces back to near the Chinese border. ⑤In support of North Korea, China sent its People's Volunteer Army. ⑥Fighting continued across the 38th parallel, until fighting was stopped in 1953. ⑦The division between North and South Korea was fixed, with the 38th parallel as the border.

南北再統一を目指して　朝鮮民主主義人民共和国(北朝鮮)軍　侵攻した　境界線を越えて　南端　朝鮮半島　国連安全保障理事会　〜だと認めた　行動　北朝鮮　侵略　〜を支援するため　大韓民国(韓国)　国連は国連軍を派遣した　アメリカ軍を主力とする　国連軍　〜を一まで押し返した　中国国境付近　〜を支援して　中国　人民義勇軍を派遣した　〜をはさんで衝突が続いた　北緯38度線　休戦が成立した　分断　固定化された　北緯38度線を境に

⑧With the Korean War, the National Police Reserve was formed in Japan, which later became the Self Defense

朝鮮戦争を機に　警察予備隊　結成された　のちに　自衛隊

Forces. ⑨In 1951 Japan signed the Treaty of Mutual Cooperation and Security between the United States and Japan as well as the Treaty of San Francisco, keeping the US military and bases in Japan and putting a large portion of national security in the hands of the US.

signed：〜を結んだ　the Treaty of Mutual Cooperation and Security between the United States and Japan：日米安全保障条約　as well as：〜と同時に　the Treaty of San Francisco：サンフランシスコ平和条約　keeping the US military and bases in Japan：米軍基地を存続させる　putting ... in the hands of：〜が影響下に置かれた　a large portion of：〜の大きな部分　national security：安全保障

26. 朝鮮戦争

①1950年、**朝鮮民主主義人民共和国**（北朝鮮）軍は南北統一を目指し境界線を越え、朝鮮半島の南端まで侵攻しました。②国連安全保障理事会は、北朝鮮軍の行動を侵略であると認めました。③国連は、**大韓民国**（韓国）を支援するため、アメリカ軍を主力とする国連軍を派遣しました。④国連軍は、北朝鮮軍を中国国境付近まで押し返しました。⑤中国が北朝鮮を支援して、人民義勇軍を派遣しました。⑥その後は**北緯38度線**をはさんで衝突が続きましたが、1953年に休戦が成立しました。⑦その結果、北緯38度線を境に、南北朝鮮の分断が固定化されました。⑧日本では朝鮮戦争を機に、のちに**自衛隊**となる**警察予備隊**が結成されました。⑨日本は1951年、**サンフランシスコ平和条約**と同時に、アメリカと**日米安全保障条約**を結び、米軍基地を存続させるなど、日本の安全保障はアメリカの強い影響下に置かれることになりました。

27. The Japan–North Korea *Pyongyang* Declaration

① From the 1970s into the 1980s, there were a number
1970年代 1980年代 ～があった たくさんの
of missing persons in Japan, and it became clear that
行方不明の 人々 日本 明らかになった
North Korea was suspected of abducting them. ② In
北朝鮮 ～の疑いがかけられた ～を拉致したこと
September of 2002, Prime Minister Junichiro Koizumi
9月 小泉純一郎首相
became the first Japanese prime minister to visit North
～になった 初めての 日本の ～を訪れる
Korea, and a summit meeting with General Secretary
首脳会談 ～との 総書記
キム ジョンイル
Kim Jong-il was held. ③ After the meeting, the Japan-
金正日 開かれた ～のあと 日朝平壌宣言
ピョンヤン
North Korea *Pyongyang* Declaration was issued.
出された

④ It was confirmed that diplomatic negotiations
確認された 外交的な 交渉
between Japan and North Korea would begin again
～と…の間の 始まるであろう 再び
and the restoration of diplomatic relations would
国交正常化(←外交関係の回復)
soon be realized. ⑤ North Korea admitted to abducting
すぐに実現されるであろう ～を拉致した事実を認めた
the Japanese persons and announced that five of
日本の ～を発表した 彼らのうち5人
them were alive and eight had died. ⑥ In October
生存して 8人 死亡した 10月
of 2002, the return to Japan of five abductees was
帰還 拉致被害者
realized. ⑦ At a government-to-government talk held
実現された 政府間の 対話

in May of 2014, both countries agreed that all missing
5月 両方の 国々 〜に合意した すべての
Japanese persons, including the abductees, would be
〜を含む
reinvestigated. ⑧ However, after that, North Korea did
再調査されるであろう しかし
not take definite actions regarding the abduction issue.
〜をとらなかった 具体的な 行動 〜に関して 拉致 問題

27. 日朝平壌宣言

①1970年代から1980年代にかけて、日本で行方(ゆくえ)不明者が続出し、北朝鮮による拉致(らち)の疑いがあることが判明しました。②2002年9月、**小泉純一郎**(こいずみじゅんいちろう)首相が日本の首相として初めて北朝鮮を訪問し、**金正日**(キムジョンイル)総書記との間で首脳会談が開かれました。③会談後，**日朝平壌宣言**(にっちょうピョンヤン)が出されました。④日本と北朝鮮の間で国交交渉を再開し、国交正常化を早期に実現させることが確認されました。⑤北朝鮮は日本人を拉致したことを認め、5名生存、8名死亡などを発表しました。⑥2002年10月、拉致被害者5名の日本帰国が実現しました。⑦2014年5月に行なわれた政府間協議で，拉致被害者を含むすべての日本人行方不明者の再調査をすることで，両国は合意しました。⑧しかし，北朝鮮はその後、拉致問題に関して、具体的な行動を起こしませんでした。

28. The Islamic State

① An Islamic extremist group with Abu Bakr *al-
イスラムの 過激派組織 ～を…とする アブバクル・バグダディ
Baghdadi as its supreme leader ruled a vast area
最高の 指導者 ～を支配した 広大な 地域
extending over Iraq and Syria. ② Then, in June of 2014,
～にわたって広がる イラク シリア そして 6月
they one-sidedly declared the establishment of a state.
一方的に ～を宣言した 樹立 国家
③ This is the Islamic State. ④ The Islamic State declared
イスラム国
Raqqa within Syria as its capital. ⑤ However, the Islamic
ラッカ ～の中にある 首都 しかし
State is not recognized as a country. ⑥ Al-Baghdadi took
承認されなかった 国家 就任した
the position of its first caliph. ⑦ Caliph means a true
初代の カリフ（ケイリフ） ～を意味する 正統な
successor of Islam founder Muhammad. ⑧ The Islamic
後継者 イスラム(教) 開祖 ムハンマド（ムハーメッド）
State committed acts of terrorism in a number of places
～を行なった 行為 テロリズム いくつかの～ 場所
and kidnapped foreigners in an attempt to get ransom
～を誘拐した 外国人たち ～する試みで ～を得る 身代金
money. ⑨ Japanese people also fell victim.
日本の 人々 ～もまた ～となった 犠牲者
⑩ The U.S. military and others struck back in ways
アメリカ軍 ～など 報復した 方法
such as bombing the Islamic State's areas of operation.
～などの ～を爆撃すること 活動
⑪ Then, the capital of Raqqa was finally overpowered
ようやく制圧された
by the Syrian military in October of 2017. ⑫ In October
シリア軍 10月

＊al：アラビア語でtheの意。アラブ人やアラビア語に基づく人名につくことが多い。また、日本語で表記する際には省かれることも多い。

of 2019, Al-Baghdadi committed suicide by blowing himself up after being tracked down by the U.S. Army Special Forces.

suicide 自殺　by blowing himself up 自爆することで(←自分を爆破することで)　after 〜のあと　being tracked down 追い詰められること　the U.S. Army Special Forces 米軍特殊部隊

28. イスラム国

①**アブバクル・バグダディ**を最高指導者とする**イスラム過激派組織**が、イラクとシリアにまたがる広大な領地を支配しました。②そして、2014年6月に一方的に国家の樹立を宣言しました。③これが**イスラム国**です。④イスラム国は、シリア領内のラッカを首都とすると宣言しました。⑤しかし、イスラム国を国家として承認した国はありません。⑥バグダディは初代**カリフ**に就任しました。⑦カリフとはイスラム教の開祖**ムハンマド**の正統な後継者という意味です。⑧イスラム国は、各地でテロ行為を行ない、外国人を誘拐(ゆうかい)して身代金(みのしろきん)を得ようとしました。⑨日本人も犠牲になりました。⑩アメリカ軍などは、イスラム国の活動地域に爆撃するなどの報復を行ないました。⑪そして、ようやく2017年10月、首都ラッカはシリア軍によって制圧されました。⑫2019年10月、バグダディは、米軍特殊部隊に追い詰められ自爆しました。

29. The *Panmunjom* Declaration and the U.S.

ムーン
① On April 27th, 2018, South Korean President *Moon*
4月27日　韓国の　文在寅大統領
ジェーイン
Jae-in and Chairman of the Workers' Party of Korea
委員長　朝鮮労働党
キム　ジョンウン
Kim Jong-un held the third inter-Korean summit in
金正恩　行なった　第3回南北首脳会談
パンムンジョム
Panmunjom, and the *Panmunjom* Declaration was
板門店　板門店宣言
issued. ② Their aim was to end the Korean War, which
出された　目的　～を終わらせること　朝鮮戦争
had been in a state of armistice, and change the cease-
～であり続けてきた　状態　休戦　～を…にかえる
fire agreement into a peace agreement. ③ This included
停戦協定(←射撃を止める協定)　平和協定　～を含んだ
the promotion of talks between South Korea, North
推進　対話　～と…の間の　韓国　北朝鮮
Korea and the U.S. as well as between South Korea,
アメリカ　または～
North Korea, the U.S. and China. ④ On June 30th, 2019,
中国　6月30日
a talk was held between U.S. President Trump and
トランプ大統領
Chairman of the Workers' Party of Korea *Kim Jong-un*

in *Panmunjom*. ⑤ Trump, after going into the Korean
～のあと　～に入ること
Demilitarized Zone, which divides South Korea and
軍事境界線(←朝鮮の非武装の領域)　～と…を隔てる
North Korea, and shaking hands with *Kim Jong-un*,
握手した　～と
became the first U.S. president to cross the border
～になった　初めての　～を越える　境界線

and enter the North Korean side. ⑥ Furthermore, both
～に入る　北朝鮮の　側　さらに　両方の
leaders stood next to each other and crossed the
首脳　立った　並んで（←お互いの隣りに）
border, entering the South Korean side. ⑦ South Korean
President *Moon Jae-in* was also with President Trump
…もまた～と一緒にいた
in *Panmunjom*.

29. 板門店宣言とアメリカ

①2018年4月27日、韓国の**文在寅**（ムンジェイン）**大統領**と北朝鮮の**金正恩**（キムジョンウン）**朝鮮労働党委員長**は、**板門店**（パンムンジョム）で第3回南北首脳会談を行ない、**板門店宣言**が出されました。②休戦状態であった**朝鮮戦争**を終結させて、停戦協定を平和協定に転換させることを目指すことにしました。③韓国・北朝鮮・アメリカ、または韓国・北朝鮮・アメリカ・中国による会談の開催を推進することも盛り込まれました。④2019年6月30日、アメリカの**トランプ大統領**と**金正恩朝鮮労働党委員長**が板門店で会談を行ないました。⑤トランプは、韓国と北朝鮮を隔（へだ）てる軍事境界線をはさんで金正恩と握手した後、アメリカ大統領として初めて境界線を越え、北朝鮮側に入りました。⑥さらに両首脳は並んで境界線を越え、韓国側に入りました。⑦韓国の**文在寅大統領**も板門店にトランプ大統領と同行しました。

30. *Xi Jinping* and Developments in China

① *Xi Jinping* (シー ジンピン / 習近平), taking over (引き継いで) from *Hu Jintao* (フー チンタオ / 胡錦涛), assumed (〜を引き受けた) the title (地位) of President (国家主席) of China (中国) from 2013. ② President *Xi Jinping* proposed (〜を提唱した) the One Belt, One Road Initiative (一帯一路構想).

③ The One Belt (一帯) is the Silk Road Economic Bloc (シルクロード経済帯) connecting (〜を結ぶ) Western China (中国西部), Central Asia (中央アジア) and Europe (ヨーロッパ); the One Road (一路) is the 21st Century Silk Road on the sea (21世紀海上シルクロード) connecting coastal China (中国沿岸部), Southeast Asia (東南アジア), India (インド), the Middle East (中東), Eastern Africa (アフリカ東部) and Europe. ④ The aim (目的) of One Belt, One Road is increasing (〜を増やすこと) trade (貿易) through (〜によって) infrastructure (インフラ) investment (投資) and financial support (融資(←経済的な援助)) in the related (関係する) countries (国々) of these two economics blocs (経済圏). ⑤ In December (12月) of 2015, led by China (〜に主導されて), the Asian Infrastructure Investment Bank (アジアインフラ投資銀行(AIIB)) was established (設立された).

⑥ In March (3月) of 2019, starting as (〜として始まって) a demonstration (デモ) against (〜に対する) the Fugitive Offenders Amendment (逃亡犯条例改正案), a large scale (大規模な) demonstration took place (起こった) in Hong Kong (香港). ⑦ In December of 2019, pneumonia (ニューモゥニア 肺炎) from a new (新型の) coronavirus (コロゥナヴァイルス コロナウイルス) was first (初めて確認された) confirmed in *Wuhan* (ウーハン 武漢市) City, *Hubei* (フーベイ 湖北省) Province and later (のちに) became (〜になった) a worldwide (世界的な) pandemic (大流行).

30. 習近平と中国の動き

①**習近平**（しゅうきんぺい）は、**胡錦濤**（こきんとう）のあとを受け、2013 年から中国の国家主席に就（つ）きました。②習近平国家主席は、**一帯一路**（いったいいちろ）を提唱しました。③**一帯**は、中国西部と中央アジア、ヨーロッパを結ぶ**シルクロード経済帯**、**一路**は中国沿岸部と東南アジア、インド、中東、アフリカ東部、ヨーロッパを結ぶ**21 世紀海上シルクロード**を指します。④一帯一路は、これら２つの経済圏の関係国に対して**インフラ投資**や融資を行ない、市場の拡大を狙ったものです。⑤2015 年 12 月には、中国が主導して**アジアインフラ投資銀行**（AIIB）が設立されました。⑥2019 年 3 月、逃亡犯条例改正案に反対するデモを発端として、**香港**（ホンコン）で大規模なデモが起こりました。⑦2019 年 12 月、湖北（こほく）省武漢（ぶかん）市で**新型コロナウイルス**による肺炎が初めて確認され、そののち世界的に大流行しました。

監修者

綿田浩崇（わただ　ひろたか）
兵庫県出身。
関西学院大学文学部に入学、中国近現代史（19世紀末から20世紀はじめ）を専攻。
関西学院大学文学研究科修士課程修了。
現在は私立中・高校の地歴・公民科教員として勤務。

英文執筆者

Lee Stark（リー　スターク）
1975年米国オレゴン州出身。
1993年Prairie High School卒業。
1997年シカゴ（米国）にStarK English（日本人向け英語家庭教師）設立。
日本人学校にて、英検の面接官を務める。
2000年来日。
2005年関西大学経済学部卒業、日本語検定1級取得。
センター試験、企業向けの教材やテレビ・ラジオCMのナレーション、
さまざまな専門分野会社における海外向けの紹介コメントの翻訳など、現在数多く手がけている。

＊本書は書き下ろしオリジナルです。

じっぴコンパクト新書　374

流れがわかる！　すんなり頭に入る！
新版 英語対訳で読む世界の歴史
The World History in simple English

2020年　6月10日　初版第1刷発行

監修者……………綿田浩崇
英文執筆者…………Lee Stark
発行者……………岩野裕一
発行所……………株式会社実業之日本社
〒107-0062
東京都港区南青山5-4-30
CoSTUME NATIONAL Aoyama Complex 2F
電話（編集）03-6809-0452
（販売）03-6809-0495
https://www.j-n.co.jp/
印刷·製本所…………大日本印刷株式会社

ISBN978-4-408-33930-6（第一趣味）